Walter Blankenburg:
Das Weihnachts-Oratorium
von Johann Sebastian Bach

Deutscher
Taschenbuch
Verlag

Bärenreiter
Verlag

Meiner lieben Frau nach 50 gemeinsamen Jahren
und den Enkeln Roger und Isabel Mundry,
Kathinka, Dörte und Henriette Schnitger

Oktober 1982
Gemeinschaftliche Ausgabe:
Deutscher Taschenbuch Verlag GmbH & Co. KG,
München, und
Bärenreiter-Verlag Karl Vötterle GmbH & Co. KG,
Kassel · Basel · London

Umschlaggestaltung (unter Verwendung einer Seite aus dem
Autograph nach der Faksimileausgabe Kassel usw. 1960, Bärenreiter): Celestino Piatti
Satz, Druck und Binden: C. H. Beck'sche Buchdruckerei,
Nördlingen
Noten: Bärenreiter, Kassel
Printed in Germany · ISBN 3-423-04406-3 (dtv)
ISBN 3-7618-4406-9 (Bärenreiter)

Das Buch

Das vorliegende Buch ist eine umfassende Einführung in das Weihnachts-Oratorium von J. S. Bach. Die Betrachtung gilt dem gesamten Aufbau des Werkes, dem Text und der musikalischen Gestaltung im ganzen wie im einzelnen. Blankenburg erörtert die historischen Voraussetzungen und Zusammenhänge, die bestimmend für die Anlage des Weihnachts-Oratoriums als Oratorium geworden sind, geht auf den Text mit seiner Verbindung von Bibelwort, Kirchenliedstrophen und madrigalischer Dichtung ein und erläutert die der gottesdienstlichen Bestimmung entsprechende Aufgliederung in sechs Teile. Er weist nach, daß es sich nicht um eine lose Reihe von Kantaten, sondern um eine textlich und musikalisch geschlossene Einheit der sechs Teile handelt. Ausführlich beschreibt er das vielfach angewandte Parodieverfahren und widmet sich eingehend der musikalischen Durchgestaltung im einzelnen, wobei er auch die zu Bachs Zeit gültige Lehre von den musikalischen Redefiguren und die musikalische Symbolik mit einbezieht.
Sein Anliegen ist es, über eine Werkbeschreibung mit Analysen hinaus den Sinn von Bachs Musik zu deuten. Er wendet sich nicht nur an den Wissenschaftler, sondern auch an den Hörer und den Interpreten, dem er, im Sinne angewandter Musikwissenschaft, vielfach Hinweise für die Aufführungspraxis gibt.

Der Autor

Walter Blankenburg (geboren 31. Juli 1903 in Emleben bei Gotha) studierte Theologie und Geschichte sowie Musikwissenschaft bei Heinrich Besseler, Friedrich Blume, Wilibald Gurlitt, Friedrich Ludwig und Arnold Schering. Nach theologischen und philosophischen Examina promovierte er 1940 zum Dr. phil. mit der Dissertation über ›Die innere Einheit von Bachs Werk‹. 1933–1947 war er als Pfarrer tätig, 1947–1968 leitete er die Evangelische Kirchenmusikschule in Schlüchtern. In seinen Schriften befaßt sich Blankenburg mit kirchenmusikgeschichtlichen Themen, insbesondere mit dem Werk J. S. Bachs (bei dtv/Bärenreiter z. B. noch ›Einführung in Bachs h-moll-Messe‹).

Inhalt

Vorwort

Das Weihnachts-Oratorium ist Johann Sebastian Bachs volkstümlichstes Werk im Bereich seiner geistlichen Vokalmusik. Das verdankt es gewiß in erster Linie der musikalischen Bearbeitung der vertrauten Weihnachtsgeschichte und den eingestreuten bekannten Weihnachtsliedern. Jahr für Jahr wird es in der Advents- und Weihnachtszeit an vielen größeren und zunehmend auch kleineren Orten aufgeführt. So erfreulich dies ist, so überkommt den Beobachter doch auch mehr und mehr die Sorge, es könnte sich hinter dieser Entwicklung manchmal kaum mehr als weihnachtliche Betriebsamkeit oder nur bloße Konvention verbergen, weil das Weihnachts-Oratorium zu dieser Jahreszeit eben »dazu gehört«. Natürlich soll die Freude, die mit der Einstudierung des Werkes für viele Chöre verbunden ist, und die der ungezählten Besucher der Aufführungen nicht gering geachtet werden; dennoch bereitet der Eindruck, daß mit der heutigen Breitenwirkung des Weihnachts-Oratoriums zugleich die Gefahr der Abnutzung und Verflachung heraufbeschworen wird, ein gewisses Unbehagen. Will man dem nicht durch eine Schonzeit begegnen – und wer möchte dies, solange es nur Möglichkeiten und Mittel zu seiner Aufführung gibt? –, dann sollten wir uns umsomehr mit seinem künstlerischen und geistlichen Gehalt und mit seinem Anspruch, den es an unsere Zeit hat, befassen: denn dies kann sich gewiß nur vertiefend auf den praktischen Umgang mit dem Werk auswirken.

Das Verständnis von Bachs oratorischen Werken, zu denen auch die Passionen zählen, setzt eine Beschäftigung mit allem, was sie in sich schließen, voraus. Dazu gehören die Gesamtanlage, die Textzusammenstellung und die musikalische Gestaltung im ganzen wie im einzelnen. Alle formalen Besonderheiten müssen erfaßt und nach deren Bedeutung muß gefragt werden. Um diesem Ziel näher zu kommen, ja um es womöglich zu erreichen, ist die Erörterung geschichtlicher Voraussetzungen und Zusammenhänge in einem gewissen Umfang unerläßlich. Das betrifft sowohl das Libretto, d. h. das voraus erstellte Textbuch mit seiner Kombination von Bibelwort, Kirchenliedstrophen und sogenannter madrigalischer Dichtung, wobei insonderheit nach deren Aufgabe neben Bibel und Gesangbuch zu fragen ist, als auch die musikalische Einkleidung, also die verwendeten musikalischen Mittel und Formen bei den drei Textschichten. Bei alledem ist der frömmigkeitsgeschichtliche Zusammenhang, aus dem das Libretto hervorgegangen ist, nicht weniger wichtig, als der musikgeschichtliche, der die künstlerische Gestalt des Weihnachts-Oratoriums mitbestimmt hat. Bei der musikalischen Betrachtung wird das darin – wie heute weithin bekannt ist – besonders vielfältig angewandte Parodieverfahren mitbedacht werden müssen, mehr aber noch die zu Bachs Zeit gültige Lehre von den musikalischen Redefiguren, und nicht zuletzt wird auch die musikalische Symbolik in die Behandlung miteinbezogen werden müssen. Nicht allein in einer bloßen Werkbeschreibung und in Analysen sehen wir unsere Aufgabe, sondern darüber hinaus in der Hermeneutik, der Sinndeutung von Bachs Musik.

Die vorliegende Darstellung wendet sich keineswegs nur an den Wissenschaftler, sondern möchte einen breiteren Leserkreis ansprechen; sie hat den Hörer des Weihnachts-Oratoriums ebenso im Auge wie den ausübenden Musiker, den Instrumentalisten, Vokalsolisten und Chorsänger, und nicht zuletzt den Dirigenten. Sie will sozusagen angewandte Musikwissenschaft betreiben; denn mehr und mehr geht die musikwissenschaftliche Arbeit in unseren Tagen dazu über, nicht nur Forschung zu leisten, sondern über sie hinaus Wege zum Verstehen von Kunstwerken zu zeigen. Wenn daher in Verbindung mit der Werkbetrachtung auch mancherlei zur Aufführungspraxis gesagt werden wird, dann möge dies nicht als Besserwisserei verstanden werden. Künstlerischer Nachvollzug läßt sich nicht bevormunden. Musikalische Nachgestaltung aber bedeutet – insonderheit bei der älteren Musik – zwangsläufig Begegnung mit der Geschichte, die zur Auseinandersetzung herausfordert. Darin liegt für den Nachschaffensprozeß jedoch keine Einengung, sondern im Gegenteil befruchtender Anstoß. Verantwortung einem musikalischen Kunstwerk gegenüber, wie es sein Schöpfer gemeint hat, und künstlerisches Empfinden des Nachvollziehenden schließen, wenn beides recht verstanden wird, einander nicht aus; vielmehr führt umgekehrt das einseitig vertretene Recht auf die Wiedergabe persönlicher Auffassungen bei einem Dirigenten ohne Kenntnis der geschichtlichen Voraussetzungen einer musikalischen Schöpfung allzu leicht an deren Sinn vorbei.

In Anbetracht des ins Auge gefaßten Leserkreises wurde auf

jede wissenschaftliche Diskussion und mit nur wenigen Ausnahmen im laufenden Text auch auf Literaturhinweise verzichtet. Stattdessen folgt am Ende der Darstellung ein ausführliches Verzeichnis allen wichtigen Schrifttums, in dem bei einzelnen Werken noch kurze Anmerkungen hinzugefügt sind. Der Kenner der Bach-Literatur wird daraus entnehmen, welchen Autoren der Verfasser besondere Anregungen verdankt. Lediglich Alfred Dürrs Schrift über das Weihnachts-Oratorium in der, allerdings nicht populärwissenschaftlichen, Reihe ›Meisterwerke der Musik‹ (München 1967, Wilhelm Fink Verlag) soll hier besonders genannt werden; denn es möchte nicht der Eindruck erweckt werden, daß diese durch die vorliegende Arbeit überflüssig geworden ist. Vor allem für die ausgezeichneten Analysen bei verschiedenen Sätzen wird an gegebener Stelle auf Dürr verwiesen werden; sie werden jedenfalls hier nicht wiederholt.

Obwohl in den Text unserer Darstellung mancherlei Notenbeispiele eingefügt sind, so setzt doch ein nützliches Studium daneben den ständigen Gebrauch einer Partitur oder wenigstens eines Klavierauszugs voraus. Wichtig erscheint uns eine vollständige Wiedergabe des Textes, um ihn im Zusammenhang lesen bzw. auch bei Aufführungen nachlesen zu können.

Zur Überlieferung des Weihnachts-Oratoriums

Vom Weihnachts-Oratorium sind uns Bachs autographe Partitur und die für die erste Aufführung des Werkes im Jahre 1734/35 angefertigten originalen Stimmen überkommen. Von diesen letzteren hat Bach freilich nur vier selbst geschrieben, die von Flöte II im zweiten Teil, eine für die Solo-Violine im Teil V und die (transponierten und bezifferten) Organo-Stimmen für die Teile V und VI. Dennoch ist das Stimmen-Material insgesamt als original zu bezeichnen; denn Bach hat die Stimmen der einzelnen Teile nicht nur in von ihm selbst beschrifteten Mappen geordnet, sondern er hat sie auch alle einzeln durchgesehen und dabei ergänzt, z. B. durch Eintragung dynamischer Bezeichnungen und von Phrasierungen; manche von ihnen hat er sogar eingehend revidiert. Bei den Organo-Stimmen der Teile I–IV, die er nicht selbst geschrieben hat, sind jedoch die Bezifferungen durchweg autograph. (Alle Einzelheiten sind im Kritischen Bericht zur Ausgabe in der NBA mitgeteilt.)

Die autographe Partitur und die originalen Stimmen sind nach Bachs Tod stets beieinander geblieben. Beides kam in den Besitz von Bachs zweitem Sohn Carl Philipp Emanuel (1714–1788) und erscheint 1790 in dessen gedrucktem Nachlaßverzeichnis (vgl. die Wiedergabe dieser Veröffentlichung in ›Bach-Dokumente III. Dokumente zum Nachwirken J. S. Bachs 1750–1800. Vorgelegt und erläutert von Hans-Joachim Schulze‹, Kassel und Leipzig 1972, Seite 490ff.). Danach gelangte es in die Hände von Carl Friedrich Zelter (1758–1832) bzw. in den Besitz der Berliner Singakademie, die dieser seit dem Jahre 1800 leitete (die Eigentumsverhältnisse waren nicht streng auseinandergehalten). Nach Zelters Tod blieben das Autograph und die originalen Stimmen im Besitz der Singakademie, bis im Jahre 1854 beides von der Königlich Preußischen Bibliothek Berlin, der späteren Preußischen Staatsbibliothek, erworben wurde. Heute befindet sich beides in der Staatsbibliothek Preußischer Kulturbesitz Berlin (West). Trotz der einfachen Überlieferungsgeschichte des Weihnachts-Oratoriums erfolgte dessen »Wiedererweckung« unter Bachs großen oratorischen Werken an letzter Stelle nach den beiden Passionen und der *h*-moll-Messe. Erst im Jahre 1857 wurde es von der Berliner Singakademie unter ihrem damaligen Leiter Eduard Grell zum ersten Mal nach Bachs Tod wiederaufgeführt, nachdem das Werk zwei Jahre zuvor als Band 5,2 in der – im Jubiläumsjahr 1850 begonnenen – (alten) Bach-Ausgabe erschienen war. Aber auch jetzt erlangte es keineswegs sofort denselben Bekanntheitsgrad wie vor allem die Passionen; das geschah in der Folgezeit nur ganz allmählich, und zu Bachs volkstümlichstem Werk ist das Weihnachts-Oratorium sogar erst in der jüngsten Zeit dank der außerordentlichen Entfaltung der kirchenmusikalischen Praxis seit der Mitte unseres Jahrhunderts geworden.

Zur Entstehungsgeschichte

Daß ein großer Teil des Weihnachts-Oratoriums aus Parodien, d. h. aus wiederverwendeten vorangegangenen Kompositionen besteht, war bereits im 19. Jahrhundert durch den dritten Band von Carl von Winterfelds berühmtem Werk ›Der evangelische Kirchengesang und sein Verhältnis zur Kunst des Tonsatzes‹ (Berlin 1847) bekannt geworden. Parodien sind alle Eingangschöre mit Ausnahme von Teil V und die meisten Arien, bei Teil VI darüber hinaus auch die Accompagnato-Rezitative und der Schlußchoral. Bei den wenigen Ausnahmen hatte Bach, wie sich noch zeigen wird, offensichtlich ebenfalls ursprünglich vorhandene Sätze wiederverwenden wollen. Vor allem waren es zwei weltliche Werke, die er weitgehend im Weihnachts-Oratorium ausgewertet hat. Es waren dies das »Dramma per Musica« »Laßt uns sorgen, laßt uns wachen« – ›Hercules auf dem Scheidewege‹ (BWV 213), das er zum Geburtstag des sächsischen Kurprinzen Friedrich Christian am 5. September 1733 komponiert hatte, und ein weiteres »Dramma per Musica« »Tönet, ihr Pauken! Erschallet, Trompeten!« (BWV 214), eine Glückwunschkomposition zum Geburtstag der sächsischen Kurfürstin und polnischen Königin Maria Josepha am 8. Dezember desselben Jahres. Im Teil V hat Bach bei der Arie »Erleucht auch meine finstre Sinnen« einen Satz aus BWV 215 »Preise dein Glücke, gesegnetes Sachsen« – auch dieses Werk ist ein »Dramma per Musica« – parodiert: es war zum Jahrestag der Wahl König Augusts III. von Sachsen zum König von Polen am 5. Oktober 1734 komponiert worden. (Was wir unter einem »Dramma per Musica« zu verstehen haben, ergibt sich aus einem späteren Zusammenhang; siehe Seite 24f.) Bei dem Chor »Wo ist der neugeborne König der Jüden«, ebenfalls im Teil V, hat Bach den Satz »Pfui dich, wie fein zerbrichst du den Tempel« aus der im Jahre 1731 uraufgeführten Markus-Passion als Vorlage benutzt. (Vergleiche die Gegenüberstellung sämtlicher Vorlagen und Parodien des Oratoriums auf Seite 22f.) Von den Urbildern zu Teil VI sind nur ein paar wenige Instrumentalstimmen, nämlich die Zweitstimmen von Violine I und II sowie zwei Continuostimmen, überliefert; sie stammen aus einer verschollenen Kirchenkantate, über deren Text wir daher nichts wissen.

Bei solcher weitreichenden Parodiearbeit im Weihnachts-Oratorium darf man freilich nicht übersehen, daß das Rückgrat des Werkes jedoch originale Schöpfung ist, nämlich die gesamte Vertonung des biblischen Berichtes. Dazu kommen sämtliche Accompagnato-Rezitative der Teile I–V, die Sinfonia zu Beginn von Teil II, ferner alle Choralsätze mit Ausnahme des abschließenden von Teil VI und schließlich noch zwei oder wahrscheinlich drei ursprünglich allem Anschein nach ebenfalls als Parodien geplante Sätze. Festzustellen bleibt also, daß Bach offenbar bei sämtlichen Eingangschören und Arien des Weihnachts-Oratoriums auf ältere Werke zurückgreifen wollte; und wenn er dann doch ein paar Ausnahmen gemacht hat, dann stellt sich die Frage nach dem Grund, wo doch, wie es scheint, in seinen Parodieabsichten System gelegen hat. Bei diesen Ausnahmen handelt es sich erstens um die Arie »Schließe, mein Herze, dies selige Wunder« in Teil III (Satz 31). Bei ihr zeigt die autographe Partitur, daß Bach einen ursprünglichen Plan nachträglich verworfen und einen neuen Satz, der an den zahlreichen Korrekturen als Urschrift erkennbar ist, komponiert hat; Parodien gleichen demgegenüber zumeist Reinschriften (siehe Abbildung auf Seite 87). Die zweite Ausnahme ist der Eingangschor von Teil V »Ehre sei dir, Gott, gesungen« (Satz 43), der offensichtlich eine Originalkomposition ist, dessen Text jedoch nach Länge und Versmaß genau mit dem des Schlußchores von BWV 213 übereinstimmt; man muß daher mit Sicherheit annehmen, daß Bach diesen ursprünglich als Vorlage für den Eingangschor von Teil V benutzen wollte. Warum hat er aber von diesem Vorhaben Abstand genommen? Sieht man sich diesen Satz mit dem Textbeginn »Lust der Völker, Lust der Deinen, blühe, holder Friederich!« (vgl. NBA I/36, Seite 67ff.) näher an, dann erkennt man sofort, daß er für die Wiederverwendung beim Eingangschor von Teil V völlig ungeeignet gewesen wäre; ein homophoner Vokalsatz wechselt darin mit einem Baß-Solo in der Folge a – b – a – b – a ab. Drittens ist hier noch das Terzett »Ach, wenn wird die Zeit erscheinen?« (Satz 51 in Teil V) zu nennen, dessen Reinschriftcharakter in der autographen Partitur zwar auf eine Parodie schließen lassen könnte, von dem jedoch bisher keine Spuren einer Vorlage ermittelt worden sind und dessen eigentümliche Anlage sehr auf eine Originalkomposition deutet.

So beachtenswert diese Ausnahmen sind, so können sie doch den Gesamteindruck, Bach habe zunächst bei sämtlichen Ein-

118
(Po-) e - ten, ihr mun-tre Po - e - ten, klin - gen- de
Lie - der, ihr mun-tre Po - e - ten, klin - gen - de
(sin -) - get, ihr mun-tre Po - e - ten, klin - gen- de
(sin-) - get, ihr mun-tre Po - e - ten, klin - gen - de
122
Sai - ten, er - fül - let die Luft, klin -
Sai - ten, er - fül - let die Luft___, klin -
Sai - ten, er - fül - let die Luft, klin -
Sai - ten, er - fül - let die Luft, klin - -

118
Kla - ge, ver- ban - net die Kla - ge, ver - ban - - -
Za - gen, ver - ban - net die Kla - ge, ver - ban - - -
- - set das Za - - gen, ver - ban - -
- - set das Za - - gen, ver - ban - - -
122
- - - - net die Kla - ge,
- - net, ver - ban - net die Kla - ge, las -
- - net, ver - ban - net die Kla - ge,
- - - - net die Kla - ge,

gangschören und Arien Parodien geplant, nicht verwischen. Warum hat er aber gerade beim Weihnachts-Oratorium, das doch in seinem Gesamtschaffen eine einzigartige Stelle einnimmt, so weitgehend das Parodieverfahren angewandt? Bedeutet dies nicht von vornherein eine Wertminderung des Werkes? Um die Zeit, da das Weihnachts-Oratorium entstand, hatte er gerade jene verschiedenen Huldigungsmusiken für das sächsische Fürstenhaus komponiert, Werke, die sicherlich wie die Kyrie und Gloria umfassende »Missa« der *h*-moll-Messe – sie war ebenfalls im Jahre 1733 geschaffen worden – die Verleihung des Titels eines »Hofkompositeur« mitbewirken sollten. Was lag näher, als diese für einen einmaligen Anlaß komponierten, zudem noch großangelegten, festlichen Werke, für die im Unterschied zu Kirchenkantaten keine Wiederaufführungen in Frage kamen, als Parodievorlagen zu verwenden? Voraussetzung für ein solches Verfahren war allein die in Bachs Zeitalter allgemeine Vorstellung, daß es nicht zweierlei Musik ihrem Stile nach gibt, eine gottesdienstliche und eine außergottesdienstliche, sondern daß jede wahre Musik auf der Respektierung schöpfungsmäßig vorgegebener Ordnungen beruht. Gewiß bedeutete dies nicht, daß – abgesehen von der erforderlichen Übereinstimmung von Textumfang und (gegebenenfalls) Versmaß von Vorlage und Parodie – jede beliebige Übernahme nichtgottesdienstlicher Werke in den liturgischen Bereich möglich war, wie sich schon beim Eingangschor zum Teil V zeigte; Voraussetzung war vielmehr, daß die Vorlage den gleichen Grundaffekt hatte wie der als Parodie zu gestaltende geistliche Text. Wenn in jener z. B. Schmerz zum Ausdruck gekommen war, dann durfte dieser nicht von Freude bestimmt sein. So war es also ganz natürlich, wenn Bach für die einmaligen Gelegenheitswerke BWV 213–215, die selbstverständlich ebenso ungedruckt blieben wie die geistlichen Vokalwerke, eine besondere Wiederverwendung ersann. Ja, wir müssen sogar annehmen, und es gibt dafür, wie wir später noch sehen werden, Anhaltspunkte, daß Bach bereits im Jahre 1733, als BWV 213 und 214 entstanden, das Weihnachts-Oratorium mitgeplant hat.

Parodieren hieß aber nun keineswegs unveränderte Übernahme einer vorhandenen Komposition lediglich mit neuer Textunterlegung, sondern es erforderte vielmehr die musikalische Bezugnahme darauf und demzufolge nicht vereinzelt Umgestaltung der Vorlage. Das sei an ein paar Beispielen gezeigt!

Der Text von BWV 214, Satz 1, der Vorlage zum Eingangschor von Teil I des Weihnachts-Oratoriums, lautet in den ersten vier Zeilen:

»Tönet, ihr Pauken! Erschallet, Trompeten!
Klingende Saiten, erfüllet die Luft!
Singet itzt Lieder, ihr muntren Poeten!
Königin lebe! wird fröhlich geruft.«

An deren Stelle treten in der Parodie die Worte:

»Jauchzet, frohlocket, auf, preiset die Tage,
Rühmet, was heute der Höchste getan!
Lasset das Zagen, verbannet die Klage,
Stimmet voll Jauchzen und Fröhlichkeit an!«

Aus der Vertonung beider Texte seien die Takte 118–124 einander gegenübergestellt (siehe Notenbeispiel S. 14f.). Hier wird erkennbar, daß Bach sich in der Parodie nicht sklavisch an die Verteilung der Zeilen nach der Vorlage gerichtet, sondern ein besonderes Schwergewicht auf das Wort »verbannet« gelegt hat. Er wiederholt dieses in den Mittelstimmen und umschreibt es in den Außenstimmen bildhaft dramatisch durch bewegte Figuren.

Der Abschluß dieses Teils A des Eingangschores von BWV 214 bzw. von Teil I des Weihnachts-Oratoriums lautet von Takt 133–137 folgendermaßen (siehe Notenbeispiel auf Seite 18). Von Takt 134 bis zum Anfang von 135 wird in der Vorlage das Wort »lebe« durch einen ausgehaltenen Akkord in drei Stimmen (nur der Tenor hat hier einen Sechzehntellauf) als Wunsch für ein langes Leben versinnbildlicht, während an der entsprechenden Stelle der Parodie sämtliche Stimmen in lebhaften Bewegungen, der Sopran zudem in Takt 135 in einem kühnen Sprung zum g″, das Jauchzen realistisch zum Ausdruck bringen. Im abschließenden Takt 136f., in dem lediglich das Adjektiv »fröhlich« an die Stelle von »Fröhlichkeit« getreten ist, änderte Bach naturgemäß gegenüber der Vorlage nichts. Man erkennt bei einem solchen Vergleich, daß die Wiederverwendung einer Komposition bei Veränderungen keine ästhetische Minderung mit sich zu bringen brauchte, sondern im Gegenteil u. U. eine großartige Steigerung gegenüber dem Urbild darstellen konnte. Dieser Feststellung gegenüber kann man es schwerlich als eine Abschwächung der Vorlage ansehen, wenn

BWV 214,1

BWV 248

zu Beginn des Weihnachts-Oratoriums die ersten Worte »Jauchzet, frohlocket« lauten, während die Vertonung mit dem eigentümlichen Einsatz der Pauken und dem unmittelbar darauf folgenden der Trompeten völlig auf den Text »Tönet, ihr Pauken! Erschallet, Trompeten!« bezogen ist; denn dies merkt ja nur der Kenner der Vorlage, und dem Affekt wird die Neutextierung absolut gerecht. Allerdings hat möglicherweise das Weihnachts-Oratorium ursprünglich mit den gleichen Worten beginnen sollen wie das Dramma per Musica; denn die autographe Partitur zeigt, daß der Text »Tönet, ihr Pauken! Erschallet, Trompeten!« und zwar sowohl in Takt 33–46 (1. Achtel) als auch in Takt 89–100 zunächst dagestanden hat und danach wieder gestrichen worden ist (vgl. Abbildung auf S. 49). Sollte Bach hier nur ein zweimaliges Versehen unterlaufen sein, oder ist der Text erst nachträglich geändert worden? Das läßt sich heute nicht mehr entscheiden.

Ein andersgeartetes Beispiel für Bachs wohl überlegte Parodiearbeit ist die Arie »Schlafe, mein Liebster, genieße der Ruh«. Hier lautet der Text in BWV 213, Satz 3

> »Schlafe, mein Liebster, und pflege der Ruh,
> Folge der Lockung entbrannter Gedanken«

und im Weihnachts-Oratorium Teil II, Satz 19

> »Schlafe, mein Liebster, genieße der Ruh,
> Wache nach diesem vor aller Gedeihen!«

In beiden, textlich wenig voneinander abweichenden Fassungen handelt es sich um ein Wiegenlied, das jedoch musikalisch in der Parodie folgendermaßen abgewandelt ist (siehe Notenbeispiel S. 20). Im Dramma per Musica ›Herkules auf dem Scheidewege‹ (BWV 213) singt die personifizierte Wollust, im Weihnachts-Oratorium die Mutter Maria. Nie hätte Bach daher die Stimmführung der Vorlage unverändert lassen können. So endet dort die erste Zeile mit einem aufreizenden Sextsprung nach oben, während die Tonfolge in der Parodie umgekehrt weiter abwärts geführt wird. Der Andersartigkeit des Textes ist also – bei fast gleichem Wortlaut – völlig Rechnung getragen.

Diese wenigen Beispiele, die sich beliebig vermehren ließen und weitere, höchst aufschlußreiche Einblicke in Bachs Schaf-

BWV 213,3

BWV 248

fensweise vermitteln würden, mögen zeigen, wie sinnvoll und ohne musikalischen Substanzverlust, ja zuweilen mit welch künstlerischer Steigerung Bach seine Parodiearbeit im Weihnachts-Oratorium durchgeführt hat. Dazu kommt noch die Einordnung der Vorlagen in einen neuen, größeren Zusammenhang; das aber erforderte u. U. Transposition, wie wir es bei der Wiegenlied-Arie, die von einer Sopran-Arie in eine Arie für Alt umgewandelt worden ist, bereits sehen konnten. Notwendig wurde aber gelegentlich auch eine andere Instrumentierung, wie die Übersicht auf Seite 22f. zeigt. Die spätere Einzelbetrachtung wird zeigen, mit welcher Folgerichtigkeit Bach bei alledem vorgegangen ist.

Die Beobachtung, daß das Dramma per Musica BWV 213 und das Weihnachts-Oratorium formal so verwandte Texte wie die beiden Wiegenlieder enthalten – hier wäre auch an die sogenannte Echo-Arie aus Teil IV »Flößt, mein Heiland, flößt dein Namen« (Satz 39), die Parodie von BWV 213, Satz 5 »Treues Echo dieser Orten«, zu denken –, wirft die Frage nach dem Entstehungsprozeß der verschiedenen Kompositionen auf. Sind die weltlichen Werke unabhängig vom Oratorium fertiggestellt worden und ist dessen Text erst später, jedoch verschiedentlich in Anlehnung an die höfischen Festmusiken gedichtet worden, oder hat Bach – wir sprachen bereits von dieser Möglichkeit – schon konkrete Vorstellungen von deren weiterer Verwendung bei ihrer Ausarbeitung gehabt? Die Fragen lassen sich leider nicht beantworten. Wissen wir doch nicht einmal genau, wie die textliche Vorlage zum Weihnachts-Oratorium zustande gekommen ist. Als deren Dichter wird im allgemeinen Bachs hauptsächlichster Textschöpfer in den mittleren Leipziger Jahren Christian Friedrich Henrici mit dem Dichternamen Picander angenommen; denn er hat nachweislich den Text der Herkules-Kantate geschaffen, jedoch offenbar nicht den der Kantate BWV 214 »Tönet, ihr Pauken! Erschallet, Trompeten!« In diesem letzteren Falle hätte Picander also, falls er der Schöpfer des Librettos vom Weihnachts-Oratorium ist, an einen nicht von ihm selbst stammenden Text angeknüpft. Völlig unbekannt ist – es wurde dies bereits bemerkt – die Dichtung der Vorlage zum Teil VI; nur eins kann man sagen, daß nämlich auch diese schwerlich ein Werk Picanders ist; denn sie hätte sich sonst aufgrund der in den Parodien verwendeten Versmaße in seinem Sammelwerk ›Ernst-Schertzhaffte und Satyrische Gedichte‹, die in vier Teilen zwischen 1727 und 1737 in Leipzig erschienen sind, finden lassen müssen. Auch das Libretto zum Weihnachts-Oratorium steht dort nicht, und schließlich gibt auch das 1734 gedruckte Textbuch, von dem ein einziges Exemplar erhalten geblieben ist – es gehört zu den Beständen der Leipziger Stadtbibliothek, wird aber z. Z. im Bach-Archiv Leipzig verwahrt –, wie damals üblich keine Auskunft über die Herkunft des Inhalts und auch nicht über den Komponisten. Zu diesem rätselhaften Sachverhalt ist im ›Kritischen Bericht‹ zum Oratorium folgendes gesagt: »Nimmt man an, daß die Dichtung zum Weihnachts-Oratorium von Picander stammt, könnte dann nicht ihr Fehlen in seinen gedruckten Gedichtbänden darauf zurückzuführen sein, daß sich die Dichtung bis zur Komposition durch Bach erhebliche Eingriffe hatte gefallen lassen müssen, ja, daß, wenn nicht gar ein fremder Dichter, so doch vielleicht Bach Teile dazu beigesteuert hatte?« (Seite 209). Je länger man sich mit diesen Fragen befaßt, desto mehr gewinnt man den Eindruck, daß Bach selbst es gewesen ist, der bei der Herstellung der Textgrundlage vom Weihnachts-Oratorium so stark mitgewirkt hat, daß Picander aus diesem Grunde diese nicht mehr als seine Schöpfung ansehen konnte. Jedenfalls kann der unübersehbare enge Textzusammenhang zwischen Vorlage und Parodie nur aus einer intensiven Zusammenarbeit von Dichter und Komponist erklärt werden. Dies aber schließt zugleich die Möglichkeit einer Planung des Weihnachts-Orato-

Übersicht über die Parodien in Teil I–V

Kantate	Vorlage	Tonart	Besetzung
BWV 214,1	Chor: Tönet, ihr Pauken! Erschallet, Trompeten	D	Gesamtinstrumentarium mit Trompeten
BWV 213,9	Arie: Ich will dich nicht hören	a	Alt, Violine I und II in unisono, Bc.
BWV 214,7	Arie: Kron und Preis gekrönter Damen	D	Baß, Trompete, Streicher, Bc.
BWV 214,5	Arie: Fromme Musen, meine Glieder	h	Alt, Oboe I und II in unisono, Bc.
BVW 213,3	Arie: Schlafe, mein Lieb(st)er, und pflege der Ruh'	B	Sopran, Streicher, Bc.
BWV 214,9	Chor: Blühet, ihr Linden, in Sachsen wie Zedern	D	Gesamtinstrumentarium mit Trompeten
BVW 213,11	Arie (Duett): Ich bin deine, du bist meine	F	Alt – Tenor, Viola I und II, Bc.
BVW 213,1	Chor: Laßt uns sorgen, laßt uns wachen	F	Chor, Horn I und II, Oboe I u. II, Streicher, Bc.
BWV 213,5	Arie: Treues Echo dieser Orten	A	Alt und Echo-Alt, Oboe d'amore I, Bc.
BWV 213,7	Arie: Auf meinen Flügeln sollst du schweben	e	Tenor, Oboe I, Violine I solo, Bc.
BWV 215,7	Arie: Durch die von Eifer entflammeten Waffen	h	Sopran, Flöte I und II, Oboe d'amore, Violini e Violetta

Teil des WO	Parodie	Tonart	Besetzung
I. Teil	Chor: Jauchzet, frohlocket, auf, preiset die Tage	D	Gesamtinstrumentarium mit Trompeten
	Arie: Bereite dich, Zion	a	Alt, Oboe d'amore I und Violine I in unisono, Bc.
	Arie: Großer Herr, o starker König	D	Baß, Trompete, Flöte I (mit Violine I in unisono), Streicher, Bc.
II. Teil	Arie: Frohe Hirten, eilt, ach eilet	e	Tenor, Flöte I, Bc.
	Arie: Schlafe, mein Liebster, genieße der Ruh	G	Alt mit Flöte I in unisono 4'; Oboe d'amore I u. II mit Violine I; Oboe da caccia I mit Violine II; Oboe da caccia II mit Viola in unisono, Bc.
III. Teil	Chor: Herrscher des Himmels, erhöre das Lallen	D	Gesamtinstrumentarium mit Trompeten
	Arie (Duett): Herr, dein Mitleid, dein Erbarmen	A	Sopran – Baß, Oboe d'amore I und II, Bc.
IV. Teil	Chor: Fallt mit Danken, fallt mit Loben	F	Chor, Horn I und II, Oboe I und II, Streicher, Bc.
	Arie: Flößt, mein Heiland, flößt dein Namen	C	Sopran und Echo-Sopran, Oboe I solo, Bc.
	Arie: Ich will nur dir zu Ehren leben	d	Tenor, Violine I solo, Violine II solo, Bc.
V. Teil	Arie: Erleucht auch meine finstre Sinnen	fis	Baß, Oboe d'amore solo I, Bc.

riums bereits in Verbindung mit der Komposition der höfischen Festmusiken im Jahre 1733 ein. Die erforderliche Zeit mag Bach damals durchaus gehabt haben; denn in jenen Jahren schuf er nicht mehr regelmäßig neue Kantaten, sondern schöpfte aus dem Repertoire, das er sich in der ersten Leipziger Zeit angelegt hatte. Von germanistischer Seite ist neuerdings sogar darauf hingewiesen worden, daß sich aufgrund sprachlicher Untersuchungen zumindest die Frage stellt, ob die Texte der Sätze 36 und 41 im Teil IV des Weihnachts-Oratoriums, »Fallt mit Danken, fallt mit Loben« und »Ich will nur dir zu Ehren leben«, nicht früher als die vermeintlichen Vorlagen aus der Herkules-Kantate BWV 213 »Laßt uns sorgen, laßt uns wachen« und »Auf meinen Flügeln sollst du schweben« entstanden sind (siehe Harald Strecker).

Der Zeitpunkt der musikalischen Fertigstellung des Oratoriums steht in gewissen Grenzen fest: Sowohl in der autographen Partitur ist am Ende sämtlicher Teile – mit Ausnahme des vierten, was gewiß Zufall ist – als auch auf der Titelseite des Textbuches das Jahr 1734 angegeben. Sicherlich hat Bach dann in diesem Jahr erst mit der Arbeit begonnen, auch wenn er bereits 1733 in Verbindung mit der Komposition der beiden weltlichen Werke BWV 213 und 214 gewisse Planungen getroffen haben sollte. Die Arie »Erleucht auch meine finstre Sinnen« im Teil V knüpft, wie wir hörten, an BWV 215 an, die Glückwunschkantate zum Jahrestag der Königswahl von August III. am 5. Oktober 1734, womit wir hinsichtlich der Entstehungszeit von Teil V auf den Herbst dieses Jahres als frühesten Termin verwiesen werden. Teil VI gibt uns einen Anhaltspunkt – er wird uns bei der Einzelbehandlung besonders beschäftigen –, wonach Bach mit dem Oratorium offensichtlich erst knapp vor dem Fest fertig geworden ist und dies möglicherweise sogar unter Zeitdruck. Trifft dies tatsächlich zu, dann hat sich Bachs Arbeit womöglich über eine verhältnismäßig lange Zeit von mehreren Monaten erstreckt.

Was aber mag ihn veranlaßt haben, nun gerade in jenen Jahren nach zwölfjähriger Leipziger Amtszeit sich ein so umfangreiches Werk wie das Weihnachts-Oratorium vorzunehmen? Den äußeren Anstoß können in der Tat die beiden höfischen Festmusiken BWV 213 und 214 gegeben haben; denn diese sind ja ihrer Formgattung nach als »Dramma per Musica« genau genommen gar keine weltlichen Kantaten, sondern vielmehr weltliche Gegenstücke zum geistlichen Oratorium mit musizierter Handlung, »Schau-Spiel(e)«, bei denen, wie Johann Gottfried Walther im ›Musikalischen Lexikon‹ (1732) formuliert hat, »nebst den Sing-Stimmen, auch verschiedene Instrumente dabey gebraucht werden« (Seite 216). Sie mögen Bach den Gedanken nahegelegt haben, entsprechend den Passionen nun auch einmal für die weihnachtliche Festzeit ein Werk dieser Art zu schaffen. Im Jahre 1735 hat er dann ja auch noch das Himmelfahrts-Oratorium (BWV 11) in derselben Anlage, allerdings nur einteilig, folgen lassen. (Das Oster-Oratorium, BWV 249, aus der Leipziger Frühzeit gehört demgegenüber in einen anderen Traditionszusammenhang.) Dieser äußere Anstoß vermag freilich die Entstehung und Eigentümlichkeit des Weihnachts-Oratoriums noch nicht hinreichend zu erklären; letztere ergibt sich erst aus der Nachwirkung der älteren musikalischen Gattung der Weihnachts-Historie. Davon soll im nächsten Abschnitt die Rede sein.

Weihnachts-Historie und Weihnachts-Oratorium

Über eine besondere musikalische Begehung des Weihnachtsfestes in Leipzig gibt es leider keine Nachrichten. Die infrage kommenden Quellen, der ›Leipziger Kirchenstaat /Das ist Deutlicher Unterricht vom Gottes-Dienst in Leipzig / wie es ... auch an denen Sonntagen ingleichen die gantze Woche über gehalten wird ...‹ (Leipzig 1710) und die ›Historie der Kirchen-Ceremonien in Sachsen‹ (Dresden und Leipzig 1732), schweigen darüber. Daraus darf man aber gewiß nicht schließen, daß es nicht auch in Leipzig wie vielerorts besonderes gottesdienstliches Brauchtum in der Weihnachtszeit gegeben hat. Allein schon die nach alter Sitte eingestreuten Liedsätze in der *Es*-dur-Fassung des Magnificat (BWV 243a), die sogenannten »Laudes«, deuten darauf. In diesem Zusammenhang verdient nun ein Werk, das erst neuerdings durch Bernd Baselt in unseren Gesichtskreis gerückt ist, ganz besondere Beachtung; es ist der ›Actus Musicus auf Weyh-Nachten‹ von Bachs zweitem Amtsvorgänger im Leipziger Thomaskantorat Johann Schelle. Daß dieses Werk um 1730 in Leipzig noch bekannt gewesen ist, ja vielleicht sogar regelmäßig aufgeführt wurde und daß es Bach daher vertraut gewesen ist, muß man aufgrund eines Vergleichs des Beginns eines Chorsatzes über »Vom Himmel hoch da komm ich her« in Schelles Werk mit Bachs bekannter Einlage dieses Liedes im Magnificat fest annehmen (siehe nebenstehendes Notenbeispiel). Hier hat bei Bach offensichtlich eine Reminiszenz an Schelles Bearbeitung »im Ohr gelegen«. Obwohl ein solcher Beginn nach damaligem Empfinden satztechnisch nahelag, so sind doch die drei auftaktigen Achtel zu eigentümlich, um von einem Zufall reden zu können. Jedoch ist dies nur ein Merkmal für Bachs Kenntnis von Schelles Komposition, auf verschiedene weitere werden wir noch stoßen.

Wichtig ist in diesem Zusammenhang auch die Tatsache, daß Schelles musikalischer Nachlaß im Jahre 1712 vom Rat der Stadt Leipzig von dessen Witwe erworben worden ist und sich danach zunächst in den Händen seines Nachfolgers als Thomaskantor Johann Kuhnau befunden hat. Nach dessen Tod wurde er von Bach übernommen, und noch 1729 werden Schelles »Musicalische Sachen« im Inventar der Thomasschule erwähnt, jedoch mit dem Vermerk: »Diese Sachen hat der Cantor

J. Schelle, Actus Musicus, Satz 4

BWV 243a, Einlagesatz A

Herr Johann Sebastian Bach in seiner Verwahrung« (Bach-Dokumente II, S. 133 und das Faksimile neben S. 177). Es ist zwar nicht nachweisbar, daß sich Schelles ›Actus Musicus‹ tatsächlich im Leipziger Inventar befunden hat, doch ist dies sehr wahrscheinlich, da zu viele Anzeichen für Bachs Kenntnis dieses Werkes sprechen.

Von großer Bedeutung ist nun, daß Schelles ›Actus Musicus auf Weyh-Nachten‹ in der Tradition der Weihnachts-Historien steht, die zwar nicht im gleichen Maße im gottesdienstlichen Leben verwurzelt waren wie die Passions-Historien, aber durch eine Reihe von Werken von Rogier Michael (Dresden 1602), Thomas Selle (Hamburg um 1660), Heinrich Schütz (Dresden 1660/64), Marco Gioseppe Peranda (Dresden 1668), Johann Philipp Krieger (Weißenfels, fünf Fassungen zwischen 1684 und 1720) und Philipp Heinrich Erlebach (Rudolstadt 1698) ihrerseits, vorzugsweise in Mitteldeutschland, eine gewisse Bedeutung erlangt hatten. Erhalten sind von all diesen Werken nur die von Michael, Selle und Schütz. Möglicherweise gehörte dazu auch eine ebenfalls verschollene Kantate(?) über »Vom Himmel hoch da komm ich her« von Bachs Leipziger Amtsvorgänger Johann Kuhnau. Der Begriff »Historie« besagt textliche Beschränkung auf den biblischen Bericht; lediglich zu Beginn und am Ende steht ein chorischer Rahmen als Einleitung und Danksagung. Jedoch im späteren 17. Jahrhundert wurden die Weihnachts-Historien ebenso wie die Passionen mit Gesangbuchstrophen oder mit Liedern aus dem Bereich der »Aria«, jener für die Reformorthodoxie und den Frühpietismus aus der Zeit um 1700 besonders charakteristischen Sololied-Gattung, »untermenget«, wie man zu sagen pflegte. Auch die Einstreuung von Bibelsprüchen ist damals bereits gelegentlich erfolgt.

Schelle nannte sein etwa 1683 entstandenes Werk ›Actus Musicus‹; so wenigstens wird es in der frühesten Überlieferung, einer Abschrift – das Autograph ist verschollen –, bezeichnet. Dieser Begriff war damals nicht neu, deutete aber gegen Ende des 17. Jahrhunderts auf die Weiterentwicklung der Historienkompositionen zum Oratorium hin, die sich entsprechend der des Geistlichen Konzerts zur Kantate vollzog. Bereits die ›Weihnachts-Historien‹ von Selle und Schütz wurden durch instrumentale Intermedien gegliedert, und bei Schelle begegnen wir auch vokalen Einlagen. Somit umfaßt sein Werk zwei nunmehr reguläre Textschichten, nämlich Bibeltext und Kirchenliedstrophen. In der wissenschaftlichen Literatur spricht man bis heute in solchen Fällen noch immer von »Oratorien«, so z. B. Hans Joachim Moser in Verbindung mit Heinrich Schütz. Im zeitgenössischen Sprachgebrauch taucht der Begriff »Oratorium« jedoch erst mit der Entstehung von eigens für solche Werke bereitgestellten Dichtungen, also von Libretti wie bei der Oper, auf. Die Entwicklung geht vielmehr von der »Historie« über den »Actus musicus«, in dem eine biblische Geschichte durch Kirchenlieder oder Arien unterbrochen wird, zum »Oratorium«, das ein Libretto voraussetzt. In diesem Sinne ist Bachs Werk, mit dem wir uns hier befassen, ein echtes Oratorium im Verständnis seiner Zeit, das er darum auch selbst ausdrücklich so genannt hat. (Ph. H. Erlebachs ›Hocherfreuliche Geschicht der Menschwerdung und Geburt ... Jesu Christi‹ von 1698, von der ein Textdruck existiert, liegt bereits auf der Grenze zwischen Actus musicus und Oratorium.)

Wie nötig es ist, das Weihnachts-Oratorium in diesem geschichtlichen Zusammenhang zu sehen, um es recht zu begreifen, wird sich bei der Einzelbetrachtung zeigen. Aber gehört es denn nicht in den Bereich der Kantate? Spricht man nicht weithin, oft auch in der Wissenschaft, davon, daß es aus sechs Kantaten bestehe, die man bei Aufführungen entsprechend ankündigt? Gewiß gibt es eine Verwandtschaft von Oratorium und Kantate durch die Bestandteile von madrigalischer Dichtung und von Kirchenliedstrophen hier wie dort. Aber dem Oratorium liegt doch im grundlegenden Unterschied zur Kantate, die lediglich von einem Bibelwort oder bei Choralkantaten von einem Kirchenlied handelt, eine fortlaufende biblische »Historie« mit dem »Evangelista«, mit Einzelrednern, den »Soliloquenten«, und mit Worten von Menschengruppen, den »Turba«-Chören, zugrunde. Demzufolge erfordert das Oratorium gegenüber der Kantate eine zusätzliche musikalische Form; denn das allein vom Continuo begleitete, sogenannte Secco-Rezitativ wird hier ja für den Vortrag des biblischen Textes benötigt, soweit er nicht wie in den Turbae chorisch ausgeführt wird. Daher tritt im Oratorium an die Stelle des Secco-Rezitativs der Kantate das begleitete, das Accompagnato-Rezitativ. Und wie in den früheren Historienkompositionen bedarf das Oratorium noch eines vokalen oder instrumentalen bzw. vokal-instrumentalen Rahmens, des »Exordium«, bevor die Erzählung beginnt, und der »Conclusio« mit einer Bitte oder einem Lobpreis am Ende. – Unsere Feststellungen lassen es dringend geraten erscheinen, den Begriff »Kantate« in Verbindung mit dem Weihnachts-Oratorium gänzlich zu vermeiden, wie ja auch Bach selbst immer nur von Teilen (»Pars prima«, »Pars secunda« usw.) gesprochen hat.

Nun geht aus Schützens Bemerkungen in seiner ›Weihnachts-Historie‹ deutlich hervor, daß dieses Werk tatsächlich in einem gewissen Zusammenhang mit der Pflege weihnachtlichen Brauchtums steht. Bei den Intermedien 1, 7 und 8 schreibt er: »Worunter bisweilen (bzw. anfänglich abermals) des Christkindleins Wiege (mit) eingeführet wird.« Ob mit der Aufführung solcher Werke szenische Spiele verbunden wurden, wissen wir heute nicht mehr; bis zu einem gewissen Grade mag dies sicherlich der Fall gewesen sein (man lese dazu H. J. Moser ›Heinrich Schütz. Sein Leben und Werk‹, Seite 552ff. und 619ff.!). Auch bei Schelles ›Actus Musicus‹, in dem z. B. zweimal eine »Sonata pastorella« vorkommt, kann man eine lose Verbindung zu einer Art Krippenspiel annehmen. Könnte eine solche Tradition nicht auch bei Bachs Weihnachts-Oratorium, und sei es ganz entfernt, nachwirken? Sein Vetter Johann Gottfried Walther erläutert in seinem ›Musikalischen Lexikon‹ (Leipzig 1732) den Begriff »Oratorium« folgendermaßen: »... eine geistliche Opera, oder musicalische Vorstellung einer geistlichen Historie ...« Dies besagt doch, daß man sich zu Bachs Zeit des geschichtlichen Zusammenhanges zwischen Historienkomposition und Oratorium offensichtlich bewußt gewesen ist. Und er wird daran erkennbar, daß auch in Bachs Werk wie in dem von Schelle eine, wenn auch nicht so bezeichnete, Sonata pastorella vorkommt, daß ferner z. T. die gleichen Kirchenlieder, nämlich die Lutherlieder »Gelobet seist du, Jesu Christ« und »Vom Himmel hoch da komm ich her«, verwendet sind und daß in beiden Werken die Verkündigung des Engels (Lukas 2, 14) als Accompagnato-Rezitativ erscheint. Die musikalische Hervorhebung der prophetischen Weissagung Micha 5, 1, wie sie im Teil V, Satz 50 erfolgt, findet sich ähnlich sogar schon in einer um 1638 entstandenen handschriftlich überlieferten Weihnachts-Historie der früheren Breslauer Stadtbibliothek. Möglicherweise hat es in dem halben Jahrhundert zwischen der Entstehung von Schelles ›Actus Musicus‹ und der Vollendung des Weihnachts-Oratoriums noch weitere Glieder gegeben, die uns die geschichtlichen Zusammenhänge deutlicher gezeigt hätten; zu ihnen hat vielleicht die erwähnte, verschollene »Kantate« von J. Kuhnau über »Vom Himmel hoch da komm ich her« gehört, und man kann es nur bedauern, daß uns hier weiteres

Erkenntnismaterial fehlt. Denn es liegt auf der Hand, daß die hier getroffenen Feststellungen nicht nur für das allgemeine Verständnis des Weihnachts-Oratoriums von Bedeutung sind, sondern auch für dessen Aufführungspraxis. Gewiß stellt sich die Frage, ob die madrigalische Dichtung Bachs Werk nicht in eine völlig andere Richtung geführt hat; jedoch gerade hier sollte keine voreilige Antwort gegeben werden. Wenden wir J. G. Walthers zitierte Begriffsbestimmung auch auf das Weihnachts-Oratorium an – das aber ist doch wohl unerläßlich –, dann müssen wir prüfen, ob nicht gleichfalls die Texte der madrigalischen Dichtung, also der Accompagnato-Rezitative und Arien, verhüllte Worte und Reden der Gestalten der biblischen Geschichte von der Christgeburt, die hier symbolhaft auftreten, wiedergeben.

Von jeher ist es aufgefallen und als eigentümlich empfunden worden, daß vor allem in den drei ersten Teilen und danach noch in Teil V des Oratoriums der Sopran als solistische Stimme gegenüber dem Solo-Alt in einem Maße zurücktritt wie wohl in keinem zweiten Werke Bachs. Sehen wir von dem für sich stehenden Teil IV ab, so ist festzustellen, daß in den übrigen fünf Teilen nur je ein begleitetes Rezitativ und eine Arie für Sopran allein vorkommen, nämlich in Satz 56 und 57 in Teil VI, wobei die Besetzung nicht einmal recht einleuchtet (siehe dazu Seite 128). Wenn dies in der Praxis gelegentlich dazu geführt hat, die Sopranistin durch eine Einlage zu »entschädigen«, dann ist dies gewiß ein fragwürdiges Verfahren; denn die Herausstellung solistischer Alt-Partien kann natürlich kein Zufall sein. Sucht man anhand der betreffenden Texte nach einer Erklärung, so ergibt sich schnell, daß in ihnen die Mutter Maria spricht, nun aber freilich nicht als reale Gestalt der Weihnachtsgeschichte, sondern als Maria im übertragenen lutherischen Verständnis als Ur- und Sinnbild des Glaubens und somit als die Mutter Kirche. Dem wird bei der Einzelbesprechung weiter nachzugehen sein.

Wenn aber die solistische Alt-Stimme von dieser ihrer »Rolle« her allein recht zu verstehen ist, dann wird man auch nach den Personifizierungen der anderen Stimmen fragen müssen. Die Antworten sollen hier nicht vorweggenommen werden, sondern der Besprechung des Werkes vorbehalten bleiben. Dabei wird auch darauf zu achten sein, welche Instrumente den einzelnen (verhüllten) Symbolgestalten als spezifische Attribute zugeteilt sind.

Ist es verwunderlich, daß somit nicht nur in den Soliloquien biblische Gestalten erscheinen, sondern auch in den Accompagnato-Rezitativen und Arien symbolhaft reden? Das ist es keineswegs; denn es geschieht damit genau das Gleiche wie in den höfischen Festmusiken BWV 213 und 214, in denen sämtliche Rezitative und Arien Reden symbolischer Personifizierungen sind. Mit solcher Funktion der madrigalischen Dichtung ist das Weihnachts-Oratorium nun allerdings ein wesentliches Stück über die ältere Historienkomposition und auch über die jüngere Form des Actus musicus hinausgewachsen; denn mit dem neuartigen Text der madrigalischen Dichtung wird zugleich die Aufgabe der existentiellen Aneignung und der predigthaften Aktualisierung der biblischen Geschichte verbunden. Sie wird auch deutlich an der Wahl der Kirchenliedstrophen, die nicht wie bei Schelle auf das reformatorische Liedgut beschränkt bleiben, sondern in die nun auch die von einer ganz persönlichen Note geprägten Dichtungen des 17. Jahrhunderts, vor allem von Paul Gerhardt und Johann Rist, mit einbezogen werden: denn auch sie versetzen die Geschichte in die Gegenwart.

Die gottesdienstliche Bestimmung und die Gesamtanlage des Weihnachts-Oratoriums

Die sechs Teile des Oratoriums waren für die in der weihnachtlichen Festzeit 1734/35 anfallenden Sonn- und Feiertage bestimmt, und zwar für die drei Weihnachtstage (der dritte Feiertag wurde wie bei Ostern und Pfingsten noch während des ganzen 18. Jahrhunderts, allerdings wie ein gewöhnlicher Sonntag, begangen), für das »Fest der Beschneidung Christi« (so die Bezeichnung im Textbuch, während Bach in der autographen Partitur »Festo Circumcisionis Xsti« schreibt) am Neujahrstag, sodann für den Sonntag nach Neujahr und schließlich für das »Fest der Offenbarung Christi«, so der Wortlaut im Textbuch, während Bach über Teil VI »Festo Epiphanias« vermerkt.

Aus dem Textbuch erfahren wir, daß das Weihnachts-Oratorium nach einer bestimmten Ordnung in den beiden Leipziger Hauptkirchen zu »St. Nicolai«, in der der Superintendent amtierte und die darum als erste Kirche galt, und zu »St. Thomae« musiziert wurde und zwar folgendermaßen: Am ersten Weihnachtstag »Frühe zu St. Nicolai und Nachmittage zu St. Thomae«, am zweiten in umgekehrter Reihenfolge und am dritten nur – vermutlich »frühe« – in der Nikolaikirche. Danach fanden am Neujahrstage wieder zwei Aufführungen statt, dieses Mal die erste in der Thomaskirche, am Sonntag danach aber wieder nur eine in der Nikolaikirche und abschließend am 6. Januar, dem Epiphaniasfest, noch einmal zwei in der Folge wie am Neujahrstage. Mit »Frühe« ist die lutherische Messe mit Abendmahl, der sonn- und festtägliche Hauptgottesdienst gemeint; er begann um 7 Uhr und dauerte, je nach der Zahl der Teilnehmer am Abendmahl, drei bis vier Stunden. Der Nachmittagsgottesdienst begann in der Nikolai-, Thomas- und in der Neuen Kirche 13.15 Uhr; es war die »Vesper-Predigt« mit eigenständiger liturgischer Ordnung nach alter Tradition.

Die Passionen wurden seit der Reformation ausschließlich in der Vesper gesungen, so auch noch in Leipzig zu Bachs Zeit. Dieser Brauch hatte sich daraus ergeben, daß seit dem Mittelalter alle vier Evangelienberichte von der Leidensgeschichte an bestimmten Tagen der Karwoche in der Vesper vollständig gelesen wurden, während für den Hauptgottesdienst eine andere Lese- und Predigtordnung galt. Da jedoch die Bibeltexte des

Weihnachts-Oratoriums zu den Evangelienlesungen in der Messe der weihnachtlichen Festzeit gehörten und demzufolge darüber auch gepredigt wurde, lag die Aufführung in erster Linie am Vormittag nahe. Daß jedoch ein und dasselbe Werk an einem Tage zweimal musiziert wurde, ist aus Bachs Wirksamkeit sonst nicht bekannt und unterstreicht damit, daß das Weihnachts-Oratorium als eine Besonderheit angesehen worden ist. Über spätere Aufführungen ist zwar nichts überliefert, doch dürfen solche angenommen werden. Die gleiche Sonn- und Festtagsfolge ohne einen Sonntag nach Weihnachten, jedoch mit einem nach Neujahr, gab es zu Bachs Lebzeiten noch in den Jahren 1739/40, 1744/45 und 1745/46. Auch Aufführungen einzelner Teile können stattgefunden haben.

Die Aufteilung der dem Weihnachts-Oratorium zugrunde liegenden biblischen Abschnitte entsprach jedoch nur sehr zum Teil der gültigen Lektionsordnung, wie die folgende Aufstellung nach dem ›Vollständigen Kirchen-Buch. Darinnen die Evangelia und Episteln auf alle Fest- Sonn- und Apostel-Tage ... in den Chur-Säch:. Ländern gebraucht werden‹ (Leipzig 1707) zeigt:

Sonn- und Festtage	Evangelium	Weihnachts-Oratorium
1. Weihnachtstag	Lukas 2, 1–14	Lukas 2, 1–7 (ohne 2)
2. Weihnachtstag	Lukas, 2, 15–20	Lukas 2, 8–14
3. Weihnachtstag	Johannes 1, 1–14	Lukas 2, 15–20
4. Neujahr	Lukas 2, 21	Lukas 2, 21
5. Sonntag nach Neujahr	Matthäus 2, 13–15 oder 23	Matthäus 2, 1–6
6. Epiphanias	Matthäus 2, 1–12	Matthäus 2, 7–12

Wenn der zweite Weihnachtstag als Stephanustag begangen wurde, war Matthäus 23, 34–39 das Evangelium; aus diesem Anlaß ist die Kantate »Selig ist der Mann« BWV 57 entstanden. Sowohl der Stephanustag wie der Tag des Evangelisten Johannes am dritten Weihnachtstag wurden alle zwei Jahre in den ungeraden Jahreszahlen begangen. Die obenstehende Gegenüberstellung zeigt die merkwürdige Tatsache, daß allein Teil IV des Weihnachts-Oratoriums mit dem Evangelium des betreffenden Tages völlig übereinstimmt. Konnte sich Bach eine solch weitgehende Abweichung von der festgelegten und verbindlichen Perikopenordnung überhaupt erlauben? Auch wenn man annehmen muß, daß dies nicht ohne Absprache mit der Geistlichkeit möglich war, ist doch die im einzelnen fast völlig fehlende Übereinstimmung des Weihnachts-Oratoriums mit der gottesdienstlichen Leseordnung viel zu auffällig, um nicht einen besonderen Grund zu haben. Das Problem findet eine ganz einfache Lösung mit der Feststellung, daß der biblische Text des Oratoriums genau mit dem der älteren Historienkompositionen übereinstimmt, so z. B. mit dem der Weihnachts-Historie von Heinrich Schütz, mit dem Unterschied lediglich, daß in diese auch noch die Geschichte von der Flucht nach Ägypten und dem bethlehemitischen Kindermord (Matthäus 2, 13–18) mit einbezogen ist; diese aber folgt dort – entgegen der Perikopenordnung – erst im Anschluß an die Geschichte von den drei Weisen aus dem Morgenlande (Matthäus 2, 1–12), während Matthäus 2, 13–15 bzw. bis 23 damals (und auch zu Bachs Zeit noch) am Sonntag nach Neujahr gelesen wurde. (Vermerkt sei hier, daß Bach den unwichtigen Vers 2 aus Lukas 2 übersprungen hat, was sicherlich nichts besonderes zu sagen hat.) Umgekehrt liegt im Vergleich zu der Weihnachts-Historie von Schütz dem ›Actus Musicus‹ von Schelle lediglich Lukas 2, 1–20, also nur die eigentliche Weihnachtsgeschichte, zugrunde. Diese aber ist in drei Teile gegliedert, wenn auch etwas anders als bei Bach: »Pars prima« reicht bei Schelle bis Lukas 2, 14, »Pars secunda« ist ausschließlich dem Vers 15 gewidmet und »Pars tertia« den Versen 16–20. Schütz' Weihnachts-Historie wurde möglicherweise im Dresdner Hofgottesdienst am ersten Weihnachtstag geschlossen aufgeführt; sicher ist dies freilich nicht; ein deutlicher Einschnitt nach dem Chor »Ehre sei Gott in der Höhe« (Vers 14) könnte darauf hindeuten, daß der übrige Teil für den zweiten Weihnachtstag vorbehalten war. Mit Sicherheit müssen wir eine Verteilung von Schelles ›Actus Musicus‹ auf die drei Weihnachtstage annehmen, denn abgesehen davon, daß Teil I mit dem Evangelium vom ersten Weihnachtstage übereinstimmt, spricht der Umfang des Werkes gegen eine geschlossene Wiedergabe in einem einzigen Gottesdienst. So war also Bachs Planung eines Oratoriums für die gesamte weihnachtliche Festzeit zumindest nicht absolut neu; möglicherweise waren auch die Weißenfelser Weihnachts-Historien des dortigen Hofkapellmeisters Johann Philipp Krieger aus der Zeit zwischen 1684 und 1720 bereits für den gesamten weihnachtlichen

Festkreis bestimmt. Da dessen Werke verloren sind, können jedoch nur Vermutungen ausgesprochen werden. In Rudolstadt war es üblich, die Passion in »Actus« aufzuteilen und »mit füglichen Arien und Liedern hie und da untermenget ... die heil. Marter-Woche durch von Tag zu Tage« zu musizieren, wie es ein erhaltenes Textbuch ausweist. Bei der bis weit in das 18. Jahrhundert verbreiteten Oster-Historie des Dresdner Hofkapellmeisters Antonio Scandello (um 1573) war die Verteilung auf die drei Ostertage von Anfang an bestimmt. Soll man da nicht auch bei Bachs Weihnachts-Oratorium annehmen, daß seine Planung eines geschlossenen Werkzyklus für die Zeit vom 25. Dezember 1734 bis zum 6. Januar 1735 nicht einer ureigenen Idee entsprang, sondern an eine Tradition anknüpfte? Der Einmaligkeit des Oratoriums wird damit nichts genommen.

Dessen kunstvolle Gesamtanlage sei zunächst in folgender Skizze veranschaulicht:

I	II	III	IV	V	VI
D – D	*G – G*	*D – D*	*F – F*	*A – A*	*D – D*

Die Angaben unter den römischen Ziffern der sechs Teile beziehen sich auf die Tonarten jeweils des ersten und letzten Satzes (große Buchstaben bedeuten Dur). Jeder Teil endet in der gleichen Tonart, in der er begonnen hat. Bedenkt man sodann, daß das Gesamtwerk von *D*-dur umschlossen ist und daß diese tragende Tonart stets mit dem Klang der drei Trompeten und den beiden Kesselpauken vereint wird, den Repräsentanten der göttlichen Welt, dann erscheint der Rahmen der gesamten Folge in einem das Werk bestimmenden leuchtenden Glanz. Bach hat aber noch in der Weise einen Bogen über den Zyklus gespannt, daß er Teil VI mit der Melodie vom ersten Choral in Teil I »Wie soll ich dich empfangen« beschließt (über diese Melodie wird später noch besonderes zu sagen sein). Von der Tonart *D*-dur wird jedoch auch Teil III, mit dem die eigentliche Weihnachtsgeschichte nach Lukas 2 endet, umrahmt. Die Teile I–III ergeben daher ein in sich geschlossenes Bild, in dem Teil III mit Teil I korrespondiert; beide bilden einen Rahmen um Teil II. So ist es durchaus sinnvoll, wenn die Teile I–III heute in erster Linie geschlossen aufgeführt werden. Der folgende Teil IV steht vom Musikalischen her gesehen ganz für sich, sowohl von seiner Grundtonart *F*-dur her gesehen als auch von der Besetzung der Rahmenchöre mit zwei Hörnern. Hingegen schließen sich die beiden letzten Teile V und VI mit der Geschichte von den drei Weisen aus dem Morgenlande (Matthäus 2, 1–12) wieder an die drei ersten an, wobei sich folgende jeweils durch den Rahmen repräsentierte Tonarten-Ordnung der Teile I–III sowie V–VI ergibt: *D – G – D – A – D.* Der Sinn dieser Ordnung liegt nicht nur in der darin waltenden Symmetrie (I = III = V), sondern darüber hinaus in der Kadenzfolge des Gesamtablaufs Tonika – Subdominante – Tonika – Oberdominante – Tonika; denn diese Folge ist bei Bach, wie allgemein im barocken Musikverständnis, ein Sinnbild vorgegebener Ordnung und dient als solches symbolhaft für göttliches Geschehen. Genau so hat es Bach mit dieser Sinnbildlichkeit im Credo der *h*-moll-Messe gehalten, das von konzertanten *D*-dur-Sätzen umschlossen ist, während der Beginn des zweiten Glaubensartikels von der Menschwerdung Gottes »Et in unum Dominum Jesum Christum« in der Unterdominante *G*-dur und der Beginn des dritten »Et in Spiritum sanctum« in der Oberdominante *A*-dur steht.

Es erscheint merkwürdig, daß – soweit zu sehen ist – das Weihnachts-Oratorium nur selten mit den Teilen I–III und V–VI in einer Veranstaltung aufgeführt wird, was naheläge, würden doch dadurch die beiden letzten Teile mehr zu ihrem Recht kommen. Für eine geschlossene Wiedergabe dieser Teile würde eine Aufführungsdauer von etwa zweieinhalb Stunden benötigt und damit noch immer weniger Zeit als für die Matthäus-Passion und die *h*-moll-Messe. Teil IV aber nimmt nicht nur durch die Tonart *F*-dur und die Besetzung mit Hörnern in den Rahmenchören eine Sonderstellung ein, sondern vor allem auch noch durch den kurzen, nur einen einzigen Vers umfassenden Evangelistenbericht ohne Beteiligung von Soliloquenten. Gewiß kann man ihn natürlich trotzdem mit den anderen Teilen kombinieren (das geschieht zumeist mit V und VI, ist aber vielleicht noch sinnvoller in Verbindung mit Teil I bis III); aber oft genug scheitert ja die Aufführung der »zweiten Hälfte« des Oratoriums an organisatorischen und auch finanziellen Schwierigkeiten, die sich aus der Besetzung ergeben. Sollte man Teil IV daher nicht häufiger völlig gesondert musizieren, wenn irgend möglich in einem Neujahrs-Gottesdienst, wonach dieser in seiner Weise einzigartige Teil von seinem Inhalt her ganz besonders verlangt?

Die symmetrische Gestaltung von Teil I bis III

Die nebenstehende Skizze zeigt, wie die Teile I–III, denen die eigentliche Weihnachtsgeschichte Lukas 2, 1–20 (ohne Vers 2) zugrunde liegt, unter sich noch besonders symmetrisch aufeinander bezogen sind. In jedem einzelnen Teil entspricht zumindest der letzte Satz dem ersten, alle drei aber bilden auch zusammen eine Symmetrieform; denn Teil II ordnet sich in einen bildhaft anschaulichen Gesamtablauf der ersten drei Teile ein: er steht, wie im vorigen Abschnitt bereits gesagt wurde, in *G*-dur, führt über *a*-moll und *C*-dur in der Mitte zurück zur Ausgangstonart *G*-dur. Der Sinn dieses musikalischen Geschehens liegt auf der Hand: *G*-dur, die Tonart der Unterdominante zur Tonart *D*-dur von Teil I und III, weist auf die Erniedrigung, die Menschwerdung Gottes im Stall von Bethlehem. In der Mitte von Teil II aber steht zusammen mit dem Evangelisten-Rezitativ »Und das habt zum Zeichen: Ihr werdet finden das Kind in Windeln gewickelt und in einer Krippe liegen« die achte Strophe des Weihnachtsliedes »Schaut, schaut, was ist für Wunder dar« von Paul Gerhardt: »Schaut hin, dort liegt im finstern Stall, des Herrschaft gehet überall!«, die noch eine Quinte tiefer zur zweiten Unterdominante *C*-dur führt, damit die Tiefe der Erniedrigung Gottes durch die Geburt Jesu in einem Stall versinnbildlichend. Somit stehen also die Teile I–III in einem geschlossenen formalen Zusammenhang, indem sie in ihrem Gesamtablauf eine symmetrische Bogenform, die sich mit der Buchstabenreihe a – b – c – b – a beschreiben läßt, bilden (dabei fallen die drei mittleren Buchstaben auf den Teil II). Der göttliche Glanz (Teil I und III) strahlt in die Tiefe; durch die axialsymmetrische Anordnung wird die Aufmerksamkeit auf die zentrale Aussage, die Verkündigung der Geburt Jesu im »finstern Stall«, gelenkt.

Teil I

Chor: Jauchzet, frohlocket – Choral: Ach mein herzliebes Jesulein
Tutti mit Trompeten — Tutti mit Trompeten
D-dur, $\frac{3}{8}$-Takt — D-dur, $\frac{4}{4}$-Takt
(Satz 1) — (Satz 9)

Teil III

Chor: Herrscher des Himmels – Chor: Herrscher des Himmels
Tutti mit Trompeten — Tutti mit Trompeten
D-dur, $\frac{3}{8}$-Takt — D-dur, $\frac{3}{8}$-Takt
(Satz 24) — (Satz 24 = Wiederholung)

Teil II

Sinfonia
Holzblas- und Streichinstrumente
G-dur, $\frac{12}{8}$-Takt
(Satz 10)

Choral: Wir singen dir in deinem Heer
Holzblas- und Streichinstrumente
G-dur, $\frac{12}{8}$-Takt
(Satz 23)

Evangelist: Und das habt zum Zeichen
a-moll
Choral: Schaut hin, dort liegt im finstern Stall
Holzblas- und Streichinstrumente
C-dur, $\frac{4}{4}$-Takt
(Satz 16/17)

Teil I

Das Weihnachts-Oratorium hat nicht nur eine Ordnung im großen, die die einzelnen Teile aneinander bindet, sondern auch jeder einzelne Teil ist in sich noch wieder sinnvoll gegliedert und besteht nicht etwa aus einer bloßen Aneinanderreihung verschiedener Sätze. Im Teil I folgen auf den jubelnden und zum Lobpreis auffordernden Eingangschor – ein konzertanter Tuttisatz in Da capo-Gestalt, den Alfred Dürr näher beschrieben hat –, wie die nächste Skizze zeigt, zweimal ein Evangelisten-Rezitativ, ein Accompagnato-Rezitativ und eine Arie aufeinander; dazwischen aber steht der Choral »Wie soll ich dich empfangen« in der Mitte dieses Teils (siehe nebenstehende Skizze). Der Evangelist beginnt mit Vers 1–6 der Weihnachtsgeschichte, in denen die Geburt des Heilandes lediglich angekündigt wird. Demzufolge ist die ganze erste Hälfte von Teil I auf die Zukunft gerichtet und behandelt die adventliche Verheißung. »... daß sie gebären sollte«; »Nun wird mein liebster Bräutigam ...«; »Bereite dich, Zion ...«; »Wie soll ich dich empfangen«. Wessen Worte aber sind es, wenn es im Accompagnato-Rezitativ heißt: »Nun wird mein liebster Bräutigam«? Dies können nur wie auch die der anschließenden Arie »Bereite dich, Zion« die der Mutter Maria sein, die somit die Stimme des Solo-Alts verkörpert (darauf wurde bereits auf Seite 31 hingewiesen). Ihr zugeordnet ist als Attribut die Oboe d'amore als Zeichen der Liebe. Im Accompagnato-Rezitativ (Satz 3) sind Oboe d'amore I und II beteiligt, im Satz 4, der Arie, nur die Oboe d'amore I, die hier mit der Violine I zusammengeführt ist. Bezeichnenderweise hat Bach die Oboe d'amore in der Vorlage nicht verwendet; sie ist erst in der Parodie dazugekommen.

Nun aber ist die Personifizierung des Alts als Stimme der Maria nur im übertragenem Sinne zu verstehen. In beiden madrigalischen Sätzen wird davon gesprochen, daß der Heiland als Bräutigam von seiner Braut erwartet wird. Es ist dies ein altes Bild der christlichen Überlieferung und wurde bereits in der frühen Christenheit in Verbindung mit der symbolischen Deutung des 4. Kapitels vom Hohelied Salomos (Vers 8f.: »Komm mit mir, meine Braut, ... du hast mir das Herz genommen«) gebraucht, später im Mittelalter vor allem von den Mystikern aufgegriffen, um schließlich in nachreformatorischer Zeit, in-

Teil I

1. Chor: Jauchzet, frohlocket
Tutti mit Trompeten; D-dur, $\frac{3}{8}$-Takt

2. Evangelist: Es begab sich aber

3. Begleitetes Rezitativ: Nun wird mein liebster Bräutigam
Alt, Oboe d'amore I und II, Bc.; A-E-dur, $\frac{4}{4}$-Takt

4. Arie: Bereite dich, Zion
Alt, Oboe d'amore I, Violine I, Bc.; a-moll, $\frac{3}{8}$-Takt

5. Choral: Wie soll ich dich empfangen
Chor, Holzblas- und Streichinstrumente; e-moll (phrygisch), $\frac{4}{4}$-Takt

6. Evangelist: Und sie gebar ihren ersten Sohn

7. Choral und begleitetes Rezitativ: Er ist auf Erden kommen arm – Wer will die Liebe recht erhöhn
Sopran, Baß, Oboe d'amore I und II, Bc.; G-dur, $\frac{3}{4}$-Takt

8. Arie: Großer Herr, o starker König
Baß, Trompete I, Flöte I, Streichinstrumente; D-dur, $\frac{2}{4}$-Takt

9. Choral: Ach mein herzliebes Jesulein
Tutti mit Trompeten; D-dur, $\frac{4}{4}$-Takt

sonderheit auch in der protestantischen Kirchenlieddichtung und in der Erbauungsliteratur, erneut Bedeutung zu bekommen. Es sei erinnert an Philipp Nicolais Lied »Wie schön leuchtet der Morgenstern« mit den Versen »Du Sohn Davids aus Jakobs Stamm, mein König und mein Bräutigam, hast mir mein Herz besessen«.

Wenn zwar die Texte der Sätze drei und vier nur von der Gestalt der Maria her zu verstehen sind – von ihr hat der Evangelist unmittelbar zuvor gesprochen –, so doch von ihr nicht als einem beliebigen Menschen, sondern von ihr als einem, der seinem Herrn völlig ergeben ist. Ein paradoxes Bild: Die Mutter wird zur Braut! Damit soll gesagt werden, daß Maria der erste Mensch ist, der mit dem Heiland ganz und gar verbunden war und somit das Urbild des Glaubens darstellt. Daher ist sie es, die Zion, das alttestamentliche Volk Gottes, dem »die beiden großen messianischen Weissagungen« (H. Werthemann) vom Kommen des »Helds aus Davids Stamm« (nach 1. Mose 49, 10; in Bachs Johannes-Passion heißt es in engerer Anlehnung »Der Held aus Juda« (Satz 30), was gleichbedeutend mit »aus Davids Stamm« ist) und vom Erscheinen des »Sterns aus Jakob« (4. Mose 24, 17) zuteil geworden sind, aufmuntert, dem Bräutigam entgegenzueilen. (Man denke auch an das Gleichnis von den klugen und törichten Jungfrauen, Matthäus 25, 1–13, und an Nicolais daran anknüpfendes Wächterlied »Wachet auf, ruft uns die Stimme«.) Nicht allein für die Symbolgestalt Maria, sondern auch für Zion, das Volk Gottes, ist der Heiland der Bräutigam, der mit göttlicher Liebe zu ihm kommt. Diese gleichnishafte Rede meint jedoch nicht historische Vergangenheit, sondern richtet sich an das »Zion der Gegenwart«, die heutige Christenheit; denn darin besteht allgemein die Aufgabe der madrigalischen Dichtungen im Oratorium wie auch die der Choräle, den zeitlichen Abstand zum biblischen Geschehen aufzuheben und dessen gegenwärtige Aktualität zu bezeugen. Dabei führt – zwar nicht in jedem Fall, jedoch in der Regel – das Accompagnato-Rezitativ eine vorangegangene Verkündigung erläuternd weiter aus, während die Arie den existentiellen Anspruch der Botschaft an jeden einzelnen Christen bekundet.

Aus unseren Überlegungen möchte deutlich werden, daß das Rezitativ »Nun wird mein liebster Bräutigam« vor allem in den ersten Takten ein ganz und gar demütiges Stück ist, das bei der Wiedergabe eine entsprechende Zurückhaltung erfordert. Zwar liegt im zweiten Takt auf den Worten »Held aus Davids

Stamm« eine gewisse Betonung, danach aber wird die gnadenvolle Herabneigung Gottes beim Text »zum Trost, zum Heil der Erden« durch einen absteigenden verminderten Dreiklang sinnbildhaft gekennzeichnet:

Erst von Takt 6 an bringt das Rezitativ eine stärkere Entfaltung, vor allem bei den Worten »sein Strahl bricht schon hervor«, worauf der abgesetzte Ruf »Auf, Zion!« folgt. Die beiden letzten Satzteile zeigen schließlich den paradoxen Kontrast: Gott kommt zur Erde, das Wohl der Menschen aber steigt hoch empor.

Die Arie »Bereite dich, Zion« (Satz 4) knüpft unmittelbar an die Aufforderung des Rezitativs an. Sie ist in ihrer gesamten Art ein besonders anschauliches Beispiel dafür, wie Bach einer nur im Mittelteil nennenswert veränderten Vorlage bei erneuter Verwendung einen völlig anderen Charakter gegeben hat. Dies geschieht – abgesehen von der sehr sorgsamen Neutextierung – dadurch, daß anstelle des »unisono e staccato« der ersten Violinen in der Vorlage, wie schon gesagt, die Oboe d'amore I als Attribut der Maria zur Violine hinzu kommt und das »staccato« wegfällt. Die Arie wird dadurch weitgehend in einen Legato-Satz umgestaltet. So kommt der neue Text »Bereite dich, Zion, mit zärtlichen Trieben, den Schönsten, den Liebsten, bald bei dir zu sehn«, der an die Stelle eines völlig andersartigen, abweisend trotzigen getreten ist, sinnvoll zur Geltung, ohne daß nur ein einziger Ton geändert worden ist. Entsprechend verschieden sind Vorlage und Parodie wiederzugeben.

An die Arie schließt sich als Mittelglied von Teil I der Choral »Wie soll ich dich empfangen« (Satz 5) als Stimme der Gemeinde an; diese Funktion haben die Choräle in Bachs Oratorien und zumeist auch in den Kantaten, wo immer sie, unbeschadet von Figurierungen, in Gestalt homophoner Sätze erscheinen. Das »Ich« in Paul Gerhardts Adventslied ist zugleich das Ich des einzelnen wie jedes Christen und somit das von Gemeinde und Kirche. Auf den Ruf »Bereite dich, Zion« antwortet der Christ »Wie soll ich dich empfangen?« und bekennt zugleich sein Unvermögen; er weiß, daß nur Jesus Christus selbst ihn recht bereiten kann. So atmet auch dieser Satz wie die beiden vorangegangenen demütige Erwartung, was der Hörer dieses Satzes vernehmen muß.

Weithin werden die Choräle in Bachs geistlichem Vokalwerk zu schnell wiedergegeben. Gewiß stehen wir bei ihnen vor einer gewissen Schwierigkeit: Wir vermögen sie nicht so langsam zu singen, wie es zu Bachs Zeit üblich gewesen ist. Das Zeitmaß des Gemeindegesanges, das als Richtschnur für die Wiedergabe der Choräle in Kantate und Oratorium gegolten hat, betrug damals höchstens eine Sekunde pro Viertelnote. Obendrein wurden dann noch – zumindest in der Regel – zwischen den einzelnen Strophenzeilen die Fermaten als Verlängerungen ausgehalten; das läßt sich aus den zeitgenössischen Gesangbuchdrucken und vor allem Choralbüchern vielfach nachweisen. Eine solche Art zu musizieren würde uns heute jedoch unnatürlich erscheinen. Aber auch wenn es gewiß nicht die Aufgabe gegenwärtiger Aufführungen sein kann, um historischer Treue halber etwas zu tun, was heutigem Lebensgefühl widerspricht, so sollte doch in jedem Falle das spürbar werden, was der einzelne Choral aussagt. Dies aber ist bei »Wie soll ich dich empfangen« ehrfürchtig-stille Demut. Die Befolgung dieser Aufgabe braucht nicht unbedingt eine Frage des Zeitmaßes zu sein, sondern muß vor allem durch konzentrierte Ruhe zum Ausdruck kommen. Dabei müssen die von Bach in sämtliche Stimmen eingefügten zahlreichen, den Ablauf dehnenden Durchgangsnoten unbedingt beachtet werden, so z. B. gleich am Anfang im Alt, vor allem aber zu Beginn des Abgesanges allenthalben bei dem sehnsuchtsvollen Ruf »O Jesu, Jesu«.

Es besagt etwas, wenn an dieser Stelle eine Liedstrophe von Paul Gerhardt und nicht etwa eine von Martin Luther steht;

Kopfseite der Partitur mit dem Beginn des Eingangschores »Jauchzet, frohlocket« und des Rezitativs »Es begab sich aber zu der Zeit«, Autograph. Berlin Staatsbibliothek Preußischer Kulturbesitz, Mus. ms. Bach P 32.

denn Paul Gerhardt hat wie kein zweiter Kirchenlieddichter der altprotestantischen Zeit persönliche Glaubenserfahrung in den Mund der Gemeinde gelegt. So fügt sich die erste Strophe seines bekanntesten Adventsliedes mit innerster Folgerichtigkeit in den Ablauf des ersten Teiles vom Weihnachts-Oratorium ein. Wo immer aber seine Dichtungen in Bachs Oratorien eingesetzt werden, geht es, wie gesagt, darum, die zeitliche Distanz zur biblischen Geschichte aufzuheben und deren gegenwärtige existentielle Aktualität bewußt zu machen.

Gerhardts Lieder wurden in Mitteldeutschland erst im 18. Jahrhundert mehr und mehr bekannt. In Christian Gerbers ›Historie der Kirchenceremonien in Sachsen‹ (Leipzig 1732) wird berichtet: »Die schönsten geistreichen Lieder Paul Gerhardts und andere neue aus dem Glauchaischen Gesängen sind nun etliche Jahre allhier allenthalben bekannt, so gar, daß auch viele Lieder itzo in Kirchen gesungen werden, von denen man vor 30 und 40 Jahren gar nichts gewußt hat.« (Mit den »Glauchaischen Gesängen« sind die Lieder des ›Geistreichen Gesangbuches‹ von Johann Anastasius Freylinghausen, das 1704 und 1714 in zwei Teilen erschienen war, gemeint. Dies ist das einflußreichste, in vielen Auflagen verbreitete Gesangbuch des Hallenser Pietismus gewesen.) In Bachs Choralkantaten-Jahrgang liegt nur einer einzigen Kantate, nämlich BWV 92 »Ich hab in Gottes Herz und Sinn«, ein Paul Gerhardt-Lied zu Grunde, und in der Gesamtzahl der Bach-Kantaten kommen weniger Strophen des Dichters vor als allein in den drei Passionen und im Weihnachts-Oratorium. Diese Feststellung erklärt sich aus der besonderen Aufgabe, die ihnen hier zugewiesen ist und die sie wie keine anderen Dichtungen zu erfüllen vermögen.

Auch zur Melodie von »Wie soll ich dich empfangen« ist ein Wort zu sagen. Es wird immer wieder die Ansicht vertreten, daß die im Weihnachts-Oratorium von Bach verwendete Melodie an den Kreuzestod Jesu erinnern sollte; denn es sei ja die Weise von Gerhardts Passionslied »O Haupt voll Blut und Wunden«, dessen vorletzte Strophe »Wenn ich einmal soll scheiden« an zentraler Stelle der Matthäus-Passion steht. Dadurch sei diese Melodie unlöslich mit der Passion Christi verbunden. Wer dies annimmt, übersieht jedoch, daß Gerhardts Adventslied stets nach Hans Leo Haßlers (ursprünglich zu dem Text »Mein Gmüt ist mir verwirret« geschaffenen) Weise zu dem Sterbelied »Herzlich tut mich verlangen« gesungen wurde und Bach sich daher nur einem allgemeinen Brauch angeschlossen hat; dies wird durch das ›Ordentliche und Vermehrte Dreßdnische Gesang-Buch‹ (Dresden und Leipzig 1725 u.ö.) nachweislich belegt. Eine Erinnerung an Jesu Tod wäre in dem gedanklichen Zusammenhang von Teil I des Weihnachts-Oratoriums dort, wo es sich um die innere Zurüstung für die Aufnahme des Heilandes handelt, nicht recht verständlich.

Auf die Choralstrophe folgt nun wieder der Evangelist mit dem vorher noch aufgesparten Vers 7 aus Lukas 2, der Jesu Geburt im Stall zu Bethlehem mitteilt (Satz 6). Dabei erfahren die Worte »und legte ihn in eine Krippen« durch Abwärtsführung zu dem leiterfremden Ton *f* eine deutliche Hervorhebung. Nachdem sich das Rezitativ bei den Worten »ihren ersten Sohn« um *g'* bewegt hatte, enden die drei weiteren Satzteile bei den Worten »Windeln«, »Krippen« und »Herberge« absteigend auf *a*, *f* und *d*, den Dreiklangstönen von *d*-moll, mit sinnbildlichem Bezug auf die Menschwerdung Gottes (vgl. den Satz »Et incarnatus est« in der *h*-moll-Messe).

Wieder folgt wie in der ersten Hälfte von Teil I auf den Evangelisten ein Accompagnato-Rezitativ (Satz 7), das wie jenes die Botschaft erläutert und zudem mit dem Choral »Er ist auf Erden kommen arm«, der sechsten Strophe von Luthers Weihnachtslied »Gelobet seist du, Jesu Christ«, kombiniert ist. Der Rezitativ-Text »Wer will die Liebe recht erhöhn« ist offenbar im Hinblick auf die Verkündigung eines göttlichen Geschehens der Baßstimme zugeteilt, was durch die anschließende Arie bestätigt wird. Das Rezitativ spricht von dem alles menschliche Begreifen übersteigenden Grund der Menschwerdung Gottes, von der Barmherzigkeit, die »der Menschen Leid bewegt«. Die Komposition zeigt, welche Worte für Bach die wichtigsten waren; sie werden durch die musikalische Behandlung unwillkürlich als solche vernommen. Auf zwei Stellen sei besonders aufmerksam gemacht: Der Satzteil »wie ihn der Menschen Leid bewegt« führt weit weg von der Grundtonart des zweiten Teils *G*-dur in einen entfernteren unterdominantischen Bereich nach *d*-moll, dies obendrein in Verbindung mit einem verminderten Septimensprung, einem Passus duriusculus, einem allzu harten Sprung, von *cis* nach *b*, bei den Worten »(der) Menschen Leid« (Takt 30), wodurch die Tiefe der Herabneigung versinnbildlicht wird. Am Ende des Textes »so will er selbst als Mensch geboren werden« setzt Bach das Paradoxon in der Weise in Töne, daß er die Worte »als Mensch« mit einem herausstechenden Oktavsprung in die Höhe und nicht, wie man erwarten könnte, in die Tiefe führt, um danach mit einer Abruptio den Fortgang für einen Augenblick zu unterbrechen:

Dieses lehrhaft verkündigende, freilich mit einer inneren Bewegung beginnende Rezitativ ist nun zugleich in ein kleines Choralkonzert mit instrumentaler Einleitung und instrumentalem Ausklang, in dem das Lied zeilenweise durch Pausen unterbrochen einstimmig erscheint, eingefügt. An vier Stellen schiebt sich das Accompagnato-Rezitativ dazwischen. Keine andere Liedstrophe hätte in diesen Zusammenhang als Bekenntnis zur verkündigten Geburt Christi (Lukas 2, 7) so gut gepaßt wie Luthers »Er ist auf Erden kommen arm«, in der das Weihnachtsgeschehen zugleich gedeutet wird. Sie ist in ihrer objektiven Aussage das sinnvolle Gegenüber zu Paul Gerhardts betont subjektiver Dichtung »Wie soll ich dich empfangen«. Der verheißungsvollen Erwartung folgt jetzt die Erfüllung. Bach hat den Choralsatz in einem ruhig schreitenden, mit »andante, arioso« gekennzeichneten Dreivierteltakt gesetzt; er wird wie das Rezitativ von den beiden Oboen d'amore begleitet, von jenen Instrumenten, die gemäß ihrem Namen Liebe zum Ausdruck bringen. Die Übertragung der Weise aus dem geraden in den ungeraden Takt mag ein Hinweis sein auf den dreieinigen Gott, der hier mit der Tonart der Unterdominante *G*-dur, dem Sinnbild der Erniedrigung, vereint wird (die Grundtonart ist *D*-dur, in dem die Rahmenchöre stehen). Wir wissen nicht, ob sich Bach die Ausführung der Choralstimme solistisch oder chorisch vorgestellt hat; die Angabe »arioso« deutet eher auf eine Einzelstimme. Dennoch kann die Besetzung mit einer kleinen Gruppe von Sopranen durchaus sinnvoll sein; denn der Choral ist auch hier die bekennende Stimme der Gemeinde, die die Verkündigung glaubend aufnimmt (»daß er unser sich erbarm«) und mit dem Kyrieleis schließt.

Die folgende Arie »Großer Herr, o starker König« (Satz 8) ist ein Hymnus auf die Majestät Gottes, den Schöpfer der Welt, der die Erniedrigung der Menschwerdung auf sich nimmt (»... muß in harten Krippen schlafen«). Die Trompete, der Reprä-

Seite 4 des Eingangschores mit den Textkorrekturen.

sentant der Transzendenz und das Attribut göttlicher Herrlichkeit, ist das obligate Instrument der Arie, die demzufolge in *D*-dur steht und wie das vorhergehende Rezitativ dem Baß zugeteilt ist. Auch die Vorlage, die Bach in diesem Satz parodiert hat, ist ein Preislied, das der gefeierten Fürstin gilt, und weil weltliches Regiment nach lutherisch barocker Anschauung Abbild göttlicher Schöpfungsordnung ist, darum konnte Bach diese Parodie vornehmen und die Arie »Großer Herr, o starker König« mit entsprechender Symbolik versehen. Dazu gehören auch die zahlreichen Dreiklangstöne, so gleich beim ersten Einsatz der Instrumentalstimmen und auch der Singstimme in Takt 15, insonderheit die folgende, mehrfach wiederkehrende, wie eine Fanfare wirkende Figur der Trompete, die als ein Sinnzeichen zu verstehen ist (vgl. außer dem nebenstehenden Notenbeispiel von Takt 15ff. und Takt 19ff. noch 33ff. und 50ff.). Auch die zahlreichen Oktavsprünge im Continuo haben als Sinnbilder der Totalität Gottes in diesem Zusammenhang die gleiche Bedeutung.

Teil I endet mit dem Choralsatz »Ach mein herzliebes Jesulein,/Mach dir ein rein sanft Bettelein,/Zu ruhn in meines Herzens Schrein,/Daß ich nimmer vergesse dein!« (Satz 9). Es ist die 13. Strophe von Luthers Lied »Vom Himmel hoch da komm ich her« mit einem besonders zarten und innigen Text, den auch Schelle im ›Actus Musicus auf Weyh-Nachten‹ verwendet, aber bezeichnenderweise als Arioso für eine Einzelstimme gesetzt hat. Luthers Strophe enthält die Bitte, das eigene Herz zur Krippe werden zu lassen, damit die Menschwerdung Gottes unvergeßlich werde. Das aus der mittelalterlichen Mystik stammende Bild vom Herzensschrein taucht in vielen Zusammenhängen bis in die Zeit Bachs immer wieder auf, dessen Verständnis jedoch nicht einheitlich gewesen ist. Luthers Strophe liegt nicht die Vorstellung von der Unio mystica, der mystischen Vereinigung von Gott und Mensch, die die menschliche Persönlichkeit gleichsam auslöscht, zu Grunde, sondern der Gedanke der ständigen Erinnerung an Gottes Heilstat in Jesus Christus. Wenn nun gerade diese Strophe den Teil I beschließt, dann ohne Frage, um auch für Vers 7 des biblischen Berichts den existentiellen Bezug zur Christenheit der Gegenwart herzustellen, wie es zuvor bei »Wie soll ich dich empfangen« für Lukas 2, 1–6 geschehen ist. Sicherlich entspricht die klangprächtige Tutti-Besetzung mit Zeilenzwischenspielen der Trompeten und Pauken, die nichts anderes als auskomponierte

Gro - ßer Herr, o star - ker Kö-nig—,
lieb - ster Hei - land, o— wie we-nig—

Fermaten sind, nicht gerade der Zartheit des Textes. Bach hat jedoch dem abschließenden Choral von Teil I um der Entsprechung zum Eingangschor willen diese Gestalt gegeben und damit eine Geschlossenheit der Satzfolge erreicht. Festliches *D*-dur bildet den Rahmen von Teil I. Während sich die »adventliche« erste Hälfte bis hin zum Choral »Wie soll ich dich empfangen« im unterdominantischen Bereich (*e*-moll – *a*-moll – *e*-phrygisch) bewegt, lenkt die zweite Hälfte über *G*-dur zurück zur Haupttonart *D*-dur.

Teil II

Dem zweiten Teil des Weihnachts-Oratoriums liegt der Bericht von der Verkündigung des Engels bei den Hirten auf dem Felde (Lukas 2, 8–14) zu Grunde. Er steht, wie die nachfolgende Skizze zeigt, von seinem Rahmen her gesehen und im Vergleich zu den Teilen I und III in der Unterdominant-Tonart *G*-dur und steigt in der Mitte beim Choral »Schaut hin, dort liegt im finstern Stall«, nach dem die vorausgehenden Evangelistenworte (»Und das habt zum Zeichen«) bereits nach *a*-moll geführt haben, bis zur zweiten Unterdominante *C*-dur hinab. Die Blechblasinstrumente sind als die Repräsentanten der göttlichen Welt nicht beteiligt; der Hörer sieht sich versetzt in die Nacht der Hirten auf dem Felde. – Der Aufriß von Teil II gestaltet sich im einzelnen wie folgt (siehe Skizze auf Seite 55). Über die »Sinfonia« – so hat Bach den berühmten einleitenden Instrumentalsatz bezeichnet – ist viel nachgedacht worden. Philipp Spitta hat ihn im zweiten Band seines Werkes über Bach folgendermaßen beschrieben: »Um für die Instrumentalsinfonie ... recht empfänglich zu werden, wird man auch gut thun sich mit der Stimmung zu erfüllen, aus welcher grade in den Weihnachtsspielen die nächtlichen Hirtenscenen geschaffen sind. Die in der naiven Anschauung des Volkes sich ohne Schwierigkeit vereinigenden Gegensätze: die Lieblichkeit der orientalischen Idylle und der Ernst der sternklaren nordischen Winternacht bilden auch für die Sinfonie den Stimmungsuntergrund. Dieses wunderbare, wie aus Silberfäden gewobene und durch seinen Farbenschmelz bezaubernde Stück ist von einer stillen Heiterkeit und doch unaussprechlich feierlich, es ist kindlich und dennoch übervoll von schwellender Sehnsucht. Die Natur-Romantik, welche es unverkennbar athmet, webt auch noch in dem großartigen Engelchore ›Ehre sei Gott in der Höhe‹, bei dessen glitzernder Begleitung man in den Sternenraum aufzublicken meint« (S. 411). Gegen ein solches romantisches Verständnis der Sinfonia hat sich bereits Albert Schweitzer in seinem bekannten Bach-Buch gewandt (S. 677f.) und den richtigen Weg für deren Verständnis gezeigt.

Den Teil II des Weihnachts-Oratoriums mit einem Instrumentalsatz zu beginnen – es ist der einzige des gesamten Werkes – beruhte nicht auf einer ureigenen Idee Bachs, sondern ergab sich für ihn aus der Tradition der Weihnachtshistorie und des Actus musicus, was Spitta richtig geahnt hat. In Schelles Werk steht an genau der entsprechenden Stelle, nämlich bevor der Evangelist mit Lukas 2, 8 ff. (»Und es waren Hirten ... auf dem Felde«) fortfährt, eine »Pastorella«, die vor Vers 16 (»Und sie kamen eilend ...«) wiederholt wird. Schelles Pastorella und Bachs Sinfonia sind freilich sehr verschieden. In der im $\frac{3}{2}$-Takt stehenden Pastorella musizieren vier Oboen (eigentlich Schryari = Schreierpfeifen) sehr anspruchslos, weitgehend in Terzenparallelen über Orgelpunkten des Continuo. Die Satzweise entspricht der Pastorale, wie sie sich in Italien in Anlehnung an volkstümliche Hirtenmusik mit Terzenmelodik, Bordunbaß und Sicilianorhythmus entwickelt hat (man denke an die bekannte »Weihnachtsmusik« in dem Concerto grosso op. 6,8 von Arcangelo Corelli). Bach hätte demgegenüber seine Komposition schwerlich als Pastorale, geschweige denn als Pastorella bezeichnen können. In der autographen Partitur benennt er sie überhaupt nicht, und in den originalen Stimmen steht »Sinfonia«, was nach damaligem Sprachgebrauch gleichbedeutend mit Instrumentalsatz ist. Die Besetzung, die zwar Berührung mit Schelle zeigt, jedoch darüber hinausführt, besteht aus je zwei Flöten, Oboen d'amore und Oboen da caccia sowie aus den üblichen Streichinstrumenten. Die Flöten sind mit Violine I und II unisono geführt; Bach hat sie in der autographen Partitur gar nicht notiert, ihre Mitwirkung ergibt sich allein aus den originalen Stimmen, die für sie gesondert angefertigt sind. Die Sinfonia besteht also aus zwei Klangkörpern, den vier Oboen einerseits und den Flöten und Streichinstrumenten andererseits. Beide Klangkörper musizieren zunächst alternatim und werden miteinander kontrastiert, um jedoch von Anbeginn an zugleich einander angenähert zu werden. Die kombinierten Flöten und Streichinstrumente beginnen in den für die ganze Sinfonia charakteristischen Dreierfiguren.

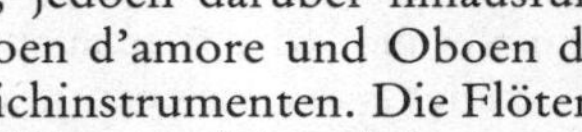

Erst in der zweiten Hälfte von Takt 9 setzen zum ersten Mal die Oboen mit einer eigenen Figur

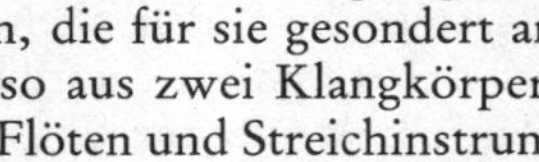

Teil II

10. Sinfonia
Holzblas- und Streichinstrumente; G-dur, $\frac{12}{8}$-Takt

11. Evangelist: Und es waren Hirten
e-moll → D-dur → h-moll

12. Choral: Brich an, o schönes Morgenlicht
Holzblas- und Streichinstrumente; G-dur, $\frac{4}{4}$-Takt

13. Evangelist und Engel: Und der Engel sprach zu ihnen
D-dur → h-moll

14. Begleitetes Rezitativ: Was Gott dem Abraham verheißen
Baß, Oboe d'amore I und II, Oboe da caccia I und II, Bc.; G-dur → e-moll, $\frac{4}{4}$-Takt

15. Arie: Frohe Hirten, eilt, ach eilet
Tenor, Flöte I, Bc.; e-moll, $\frac{3}{8}$-Takt

16. Evangelist: Und das habt zum Zeichen
D-dur → a-moll

17. Choral: Schaut hin, dort liegt im finstern Stall
Holzblas- und Streichinstrumente, Bc.; C-dur, $\frac{4}{4}$-Takt

18. Begleitetes Rezitativ: So geht denn hin, ihr Hirten geht
Baß, Oboe d'amore I und II, Oboe da caccia I und II, Bc.; a-moll → G-dur, $\frac{4}{4}$-Takt

19. Arie: Schlafe, mein Liebster, genieße der Ruh
Alt, Flöte I, Oboe d'amore I und II, Oboe da caccia I und II, Streichinstrumente, Bc.; G-dur, $\frac{2}{4}$-Takt

20. Evangelist: Und alsobald war da bei dem Engel
A-dur → G-dur

21. Chor: Ehre sei Gott in der Höhe
Holzblas- und Streichinstrumente; G-dur, ₵

22. Rezitativ: So recht, ihr Engel, jauchzt und singet
Baß, Bc.; G-dur, $\frac{4}{4}$-Takt

23. Choral: Wir singen dir in deinem Heer
Holzblas- und Streichinstrumente; G-dur, $\frac{12}{8}$-Takt

über einem Orgelpunkt der Oboe da caccia II ein; nur diese Takte und entsprechende spätere sind eine echte Pastorale, die aber nur von dem einen der beiden Klangkörper ausgeführt wird und sich also in einen größeren Zusammenhang einordnet. Die Deutung von Bachs Satzgestalt der Sinfonia kann nur folgendermaßen lauten: Eine Engelsmusik in Gestalt eines himmlischen Reigens tritt einer schwermütigen Hirtenmusik gegenüber, die jedoch, wenn auch zunächst nur zögernd, im Laufe des Satzes sich ständig zunehmend mit der Himmelsmusik vereint (vgl. andeutungsweise bereits im Takt 10f. und 14 der Oboe d'amore I und später in Takt 22, 35, 40 und 61 der drei Oboen). In ihrer Weise verkündigt also die Sinfonia die Weihnachtsbotschaft: Gottes Welt dringt in die der Menschen ein, göttliche Herrlichkeit vereinigt sich mit menschlicher Schwermut. Der $\frac{12}{8}$-Takt meint das gleiche; er ist – vielfältig in Bachs geistlichem Vokalwerk bezeugt – das Sinnbild für »Himmelreich« (vgl. grundlegend die Arie »Beglückte Herde, Jesu Schafe, die Welt ist euch ein Himmelreich« in der Kantate »Du, Hirte Israel höre« BWV 104), aber er ist auch der Rhythmus der Pastorale, der Hirtenmusik. Am erstaunlichsten und tiefsinnigsten ist der Symbolgehalt der Sinfonia beim Abschluß: Begonnen haben die Flöten und Streichinstrumente, beendet wird sie in der zweiten Hälfte des vorletzten Taktes (62) von den Oboen, jedoch mit der Figur ihres ursprünglichen Gegenübers, von dem sie diese unmittelbar aufnehmen. Nur im Schlußakkord finden sich noch einmal sämtliche Instrumente zusammen. Das nebenstehende Notenbeispiel zeigt die drei letzten Takte. Die Oboen führen eine von den Flöten und Streichinstrumenten begonnene Figur zuende! Sinnfälliger kann die Begegnung und Vereinigung von göttlicher und menschlicher Welt nicht dargestellt werden.

Der biblische Bericht ist im Teil II in drei Abschnitte gegliedert. Zuerst folgen nach der Sinfonia die Verse 8–11 aus Lukas 2 (Satz 11), die jedoch nach Vers 9 durch die Kirchenliedstrophe »Brich an, o schönes Morgenlicht« (Satz 12) unterbrochen werden, woran sich mit Satz 13 die beiden übrigen Verse (10–11) anschließen.

Im Satz 11, der vom Einbruch der göttlichen Herrlichkeit in das nächtliche Dunkel kündet, werden die Worte »des Herren (Engel)« und »die Klarheit (des Herren)« durch die Spitzentöne *a'* – dieser in strahlendem *D*-dur – bzw. *g'* hervorgehoben und das Unheimliche des Geschehens (»und sie furchten sich sehr«)

61
6
4
2
6
6 6
4
3

in den Takten 8–9 vom Evangelisten durch einen verminderten Dreiklang abwärts (*h – gis – eis*) und einen verminderten Septsprung aufwärts (*eis – d'*) sowie vom Continuo durch zwei abwärtsführende Sechzehntelläufe in der Spannweite einer verminderten Oktave von g nach *Gis* und einer verminderten Septime von *d* nach *Eis* – allenthalben also durch die Figur des Passus duriusculus, des allzu harten Schrittes – zum Ausdruck gebracht.

Danach fällt in starkem Kontrast der Chor mit der genannten Choralstrophe ein. Derartige Unterbrechungen des biblischen Berichtes haben bereits in Bachs Passionen – wenn auch im Zuge einer allgemeinen Entwicklung des Oratoriums in jener Zeit – besondere Bedeutung erlangt; erfolgen sie doch an zentralen Stellen, um unverzüglich die gegenwärtige Aktualität eines biblischen Geschehnisses bewußt zu machen. Die hier im Weihnachts-Oratorium eingefügte Strophe ist die neunte aus Johann Rists Lied »Ermuntre dich, mein schwacher Geist«, mit der der neben Paul Gerhardt bedeutendste Kirchenlieddichter des 17. Jahrhunderts seine Sammlung ›Himmlische Lieder‹ mit Vertonungen von Johann Schop (Lüneburg 1640) begonnen hat. Sie spricht die Bitte aus, daß das weihnachtliche Geschehen die Menschen erreichen und alle Furcht vertreiben möge; denn das »schwache Knäbelein« ist ihnen zum Trost und zur Freude geboren, damit es ihnen in ihrer Schuldverstrickung Friede bringe.

Wie ist dieser Choral »Brich an, o schönes Morgenlicht« darzustellen? Bei kaum einem zweiten Choral des Weihnachts-Oratoriums begegnet man so verschiedenartigen Interpretationen wie bei diesem. Einen sehr plötzlichen, dramatischen Forte-Einsatz in raschem Zeitmaß mit dynamischer Steigerung bis zur vorletzten Zeile, die im Cantus firmus bis zum g″ führt, dem danach bei den Worten »und letztlich Friede bringen« ein ebenso plötzlicher, verlangsamter Piano-Schluß in starkem Kontrast entgegen gestellt wird, erlebt man am häufigsten. Es ist jedoch zu bedenken, daß Bach die originale Dreiertaktweise Johann Schops zu diesem Lied hier in einen Vierviertеltakt übertragen hat, während von ihm in drei weiteren Sätzen dieser Weise der originale Rhythmus beibehalten worden ist. Vierertakt aber schließt auch im Zeitalter Bachs noch gegenüber dem Dreiertakt eine Verlangsamung im Verhältnis 2:3 ein. Daraus folgt, daß sich Bach diesen Choral offensichtlich in einem breiten Zeitmaß, wenn auch gewiß zugleich in Verbindung mit dynamischer Entwicklung und Steigerung vorgestellt hat; denn dies beides ergibt sich natürlicherweise aus der Gestalt des Cantus firmus, aber auch aus der Führung der Nebenstimmen wie z. B. in Takt 11 durch die Anwendung der Figur der Anabasis in der Baßstimme, die hier in verdeckten Dezimenparallelen zum Sopran chromatisch aufwärts geführt wird. Auf ein gemessenes Zeitmaß deuten auch die zahlreichen Achtel-Durchgangsnoten, die nur bei sorgsamem Aussingen zur rechten Geltung kommen. Daß der Satz am Ende bei den Worten »und letztlich Friede bringen« ruhig ausklingt, erfordert der Text ebenso wie seine musikalische Bearbeitung. Aber gerade darum sollte man hier nicht noch Unnötiges dazu tun, etwa durch abruptes Absetzen dieser Zeile, wie es oft geschieht. Bei der Gestaltung dieses Choralsatzes, dem im Rahmen des zweiten Teils vom Weihnachts-Oratorium ein besonderes Gewicht zukommt, darf nicht außer acht gelassen werden, daß er bei aller ausstrahlenden Getrostheit ein demütiger Bittruf angesichts des Mysteriums der Menschwerdung Gottes ist. Schließlich ist auch daran zu erinnern, daß die Choräle in Bachs oratorischen Werken außerhalb des dramatischen Geschehens, das sie für einen Augenblick zum Innehalten und Bedenken unterbrechen, stehen.

Nach dem Choral fährt der Evangelist mit den Worten »Und der Engel sprach zu ihnen« (Satz 13; Lukas 2, Vers 10a) fort, worauf die zentrale Verkündigung von der Geburt Christi folgt (Vers 10b und 11). An dieser Stelle ist insonderheit ein Zusammenhang des Weihnachts-Oratoriums mit Schelles Werk erkennbar; denn in beiden Werken werden die Worte »Fürchtet euch nicht« bis »in der Stadt David« als Accompagnato-Rezitative bedeutungsvoll hervorgehoben, bei Schelle durch Hinzunahme einer Trombone, bei Bach durch Streicherbegleitung. Und auch darin stimmen beide Werke überein, daß die spätere Fortsetzung der Engelsverkündigung (Vers 12 »Und das habt zum Zeichen ...«) überraschenderweise ohne Accompagnato erfolgt, und Bach läßt diesen Vers sogar vom Evangelisten singen. Eine Erklärung für diese sparsamere musikalische Behandlung von Vers 12 mag man wohl darin finden, daß vor allem um der beiden Worte »große Freude« willen das Accompagnato hinzugekommen ist; denn in Schütz' Weihnachts-Historie wird lediglich der mehrfach ritornellartig wiederholte Satz »(Siehe) ich verkündige euch große Freude« von zwei Streichinstrumenten begleitet. Alle drei, Schütz, Schelle und Bach, stimmen auch darin überein, daß sie die Engelsverkündigung von einer Sopranstimme singen lassen, dem »Angelus«, der von Bach beim Worte »gro-ße (Freude)« eindrucksvoll das hohe *a''* anspringt. An dieser Stelle vollzieht sich – völlig entsprechend den Worten »Und siehe, des Herren Engel trat zu ihnen« im Satz 11 – wiederum eine Wendung zum strahlenden *D*-dur vor dem abschließenden *h*-moll. Man beachte hier in Takt 7 die beiden durch Achtelpausen eingeschlossenen und dadurch hervorgehobenen Noten bei »(Christus), der Herr, (in der Stadt David)«.

Schelle und Bach unterbrechen nun wiederum beide nach Lukas 2, Vers 11, den Gang der Handlung; Schelle fügt an dieser Stelle ein großartiges Choralkonzert über die Strophen 1–4 von Luthers »Vom Himmel hoch da komm ich her« ein, während im Weihnachts-Oratorium nun wieder ein Accompagnato-Rezitativ und eine Arie folgen. Der Text des Baß-Rezitativs »Was Gott dem Abraham verheißen« (Satz 14) erklärt das biblische Geschehnis als Erfüllung der alttestamentlichen Prophetie. Einst empfing der Hirte Abraham die Messias-Verheißung (»Und ich ... will dich segnen und dir einen großen Namen machen«, 1. Mose 12, 2), und nun erleben abermals Hirten die Erfüllung in Christi Geburt. Die begleitenden Instrumente sind die vier Oboen der Sinfonia, die Hirteninstrumente, die in der ersten Hälfte des Satzes wie in einer Hirtenmusik über einem Orgelpunkt, wenn auch nur in andeutenden Akkorden, spielen. Die Baßstimme meint hier sicherlich keine Personifizierung einer biblischen Gestalt, sondern so wie in der Arie »Großer Herr, o starker König« symbolhaft die Stimme von Gottes Wort, die – wie die von Jesus in den Passionen – seit altersher der männlichsten Stimme, dem Baß, zugewiesen worden ist. Zugleich aber ist dieses Rezitativ ein Lob auf den Hirtenstand, der ehrfürchtig und unverbildet zu glauben bereit ist. In mannigfacher Weise hat das Wort »Hirte« bereits im Alten Testament einen besonderen Klang. Nicht nur Abraham, sondern auch David war ein Hirte. Der gute Hirte wird, wie in Psalm 23, zum Gleichnis für Gottes Wesen, das Jesus auf sich bezogen hat (Johannes 10, 12). Offenbar klingt diese Überlieferung an dieser Stelle des Weihnachts-Oratoriums jedoch nicht an, sondern sie meint vielmehr die Gleichnishaftigkeit der armen Hirten, die in der barocken Literatur besondere Bedeutung hat. Angelus Silesius hat ihr Lob im ›Cherubinischen Wandersmann‹ wie folgt besungen:

»Denkt doch, was Demut ist,
seht doch, was Einfalt kann!
Die Hirten schauen Gott am allerersten an.
Der sieht Gott nimmermehr,
nicht dort, noch hier auf Erden,
der nicht ganz inniglich begehrt,
ein Hirt zu werden.«

Der Hirtenstand ist schlicht genug, um für die Weihnachtsbotschaft empfänglich zu sein.

Die nun folgende Tenor-Arie »Frohe Hirten, eilt, ach eilet« (Satz 15) ist als Antwort auf die vernommene göttliche Stimme zu verstehen. Einer der Hirten selbst ist es, der die anderen aufruft, nach Bethlehem zu eilen, und aus den erschrockenen Hirten sind bereits ahnungsvoll »frohe Hirten« geworden. Um eine Quarte höher gegenüber der Vorlage, von *h*-moll nach *e*-moll transponiert, und von einer Flöte anstelle einer Oboe d'amore begleitet ist diese in vielen schnellen Bewegungen verlaufende Arie die rechte Reaktion der Hirten auf die geschehene Verkündigung des Engels. Die Arie ist zweiteilig (nur in den letzten acht Takten der 131 insgesamt findet ein variiertes Da capo von Takt 1 ff. statt), wobei im zweiten Teil (Takt 61 ff.) die im ersten vorherrschenden Sechzehntel-Figuren in Zweiunddreißigstel-Läufe gesteigert werden und ein vorübergehender Übergang in die Dur-Parallele *G*-dur erfolgt, die später wieder durch *e*-moll abgelöst wird. Lautet der Text in der Vorlage »Fromme Musen! meine Glieder!/Singt nicht längst bekannte Lieder!/ Dieser Tag sei eure Lust!/Füllt mit Freuden eure Brust!/Werft so Kiel als Schriften nieder/Und erfreut euch dreimal wieder!«, so in der Parodie an entsprechender Stelle: »Frohe Hirten, eilt, ach eilet,/Eh ihr euch zu lang verweilet,/Eilt, das holde Kind zu sehn!/Geht, die Freude heißt zu schön,/Sucht die Anmut zu gewinnen,/Geht und labet Herz und Sinnen.« In der Vorlage hat Bach für den ersten Teil der sechszeiligen Strophe nur zwei Zeilen verwendet und für den zweiten dann vier, während er in der Parodie jeweils drei Zeilen den beiden Teilen zuordnet; denn tatsächlich gehört ja hier die dritte Zeile in den Sinnzusammenhang der beiden ersten (ein besonders deutliches Zeichen für die Sorgsamkeit von Bachs Parodiearbeit!); »eilt« ist das verbindende Wort, das in der vierten und sechsten Zeile durch die Aufforderung »geht« abgelöst wird. Die Zweiunddreißigstel-Läufe geben der Arie – in der Vorlage ebenso wie in

ORATORIUM,
Welches
Die heilige Weyhnacht
über
In beyden
Haupt-Kirchen
zu Leipzig
musiciret wurde.

ANNO 1734.

Titelblatt des gedruckten Textbuches zum Weihnachts-Oratorium, Leipzig 1734. Exemplar der Musikbibliothek der Stadt Leipzig, als Dauergabe im Bereich Bacharchiv der Nationalen Forschungs- und Gedenkstätten Johann Sebastian Bach der DDR, I B 2[a].

Am 1sten Heil. Weyhnacht-Feyertage,

Frühe zu St. Nicolai und Nachmittage zu St. Thomæ.

Tutti.

Jauchzet! frohlocket! auf! preiset die Tage,
Rühmet, was heute der Höchste gethan,
Lasset das Zagen, verbannet die Klage,
Stimmet voll Jauchzen und Fröligkeit an:
Dienet dem Höchsten mit herrlichen Chören
Laßt uns den Nahmen des Höchsten verehren.

Da Capo.

A 2 Evan-

Beginn des Textes zum Weihnachts-Oratorium.

der Parodie – ihre Eigenart. Es ist das Wort »Freude«, das beide Texte miteinander verbindet und das hier wie dort in überschwänglichem Maße zum Ausdruck kommt, dabei im Weihnachts-Oratorium durch die höhere Lage noch stärker als in der Glückwunschkantate BWV 214. So sehr diese Arie in ihrer musikalischen Gestaltung aus einer dramatischen Vorstellung zu begreifen ist, so müssen doch die Imperative des Textes zugleich als Aufforderungen an die Christenheit verstanden werden: »Eilt, das holde Kind zu sehn,/Geht, die Freude heißt zu schön.«

Mit den Sätzen 14 und 15 war die Verkündigung des Engels unterbrochen worden, und mit Satz 16 folgt nun der noch ausstehende Vers 12 aus Lukas 2, in dem den Hirten das Zeichen genannt wird, unter dem sie das Kind im Stall und in der Krippe finden sollen. Weder Schütz noch Schelle versehen ihn, wie gesagt, mit einem Accompagnato wie die vorangehenden Verse, und Bach überträgt diese Worte sogar dem Evangelisten. Sicherlich hat dies bei ihm keinen besonderen, sondern nur einen traditionellen Grund. Offenbar wurde Lukas 2, 12 allgemein nur als ein Zusatz zur eigentlichen Engelsverkündigung (Vers 10 und 11) angesehen; denn in den Bibeldrucken z. B. wurden seit jeher nur diese beiden Verse besonders hervorgehoben. – Das kurze Rezitativ hat zwei, von Bach wohlbedachte Spitzentöne, den Ton *e'* beim Worte »Windeln« und – diesen übersteigend – den Ton *f'* bei »ei-(ner Krippe)«, der durch einen Passus duriusculus, die verminderte Septime *gis-f'*, erreicht wird.

Satz 16 bildet zusammen mit dem folgenden, inhaltlich eng anschließenden Choral (Satz 17) die Mitte von Teil II und damit zugleich die von Teil I–III insgesamt. Der Text des Chorals »Schaut hin, dort liegt im finstern Stall« ist die achte Strophe vom Paul Gerhardt-Lied »Schaut, schaut, was ist für Wunder dar«. Diese Mitte ist – nach der Hinwendung des Rezitativs nach *a*-moll – gekennzeichnet durch die Tonart *C*-dur, die Unterdominante zur Grundtonart *G*-dur von Teil II und zweite Unterdominante zu *D*-dur, der Grundtonart von Teil I und III; sie ist das Sinnbild für den »finstern Stall«. In der Tat ein musikalischer Tiefpunkt! Die für den Chorsopran ungemein tiefe Lage macht hier jede dynamische Entfaltung unmöglich; aber gerade das soll gewiß so sein. Dennoch ist der Choralsatz nicht ohne innere Bewegung: Im Takt 3 steigt der Continuo zusammen mit der gesungenen Baßstimme bei den Worten »des Herrschaft gehet (überall)« vom *A* bis zum *b* diatonisch eine None aufwärts und umgekehrt im Takt 5 und 6 von *a* nach *G* eine None abwärts zur Versinnbildlichung der Worte »Da Speise vormals (sucht ein Rind)« als Ausdruck der Erniedrigung.

Wieder schließen sich – in strenger Konsequenz der gewohnten Folge – ein Accompagnato-Rezitativ und eine Arie an. Im Baß-Rezitativ »So geht denn hin, ihr Hirten, geht« (Satz 18) mit Begleitung der vier Hirteninstrumente, der Oboen, erklingt noch einmal die symbolische Stimme von Gottes Wort, das die Hirten zum Gang nach Bethlehem auffordert, damit sie den Höchsten in der harten Krippe finden. Dabei vollführt der Continuo siebenmal einen gebrochenen Dreiklang aufwärts, von *a*-moll ausgehend und in *G*-dur endend, was Bach vielleicht symbolisch gemeint hat; denn Sieben ist die Zahl der Vollkommenheit und der Erfüllung (man vergleiche dazu den ersten Satz vom Credo der *h*-moll-Messe), die hier obendrein mit der Sinnbildlichkeit von Dreiklängen verbunden ist. Im Stall von Bethlehem sollen die Hirten »mit gesamtem Chor«, nämlich den Engeln, das »Lied zur Ruhe«, also ein Wiegenlied singen. Dieses Lied wird von Takt 5 an durch gebrochene, zumeist Dur-Dreiklänge in Sechzehntel-Triolen des Siciliano-Rhythmus im Continuo angedeutet. Dazu spielen die vier Oboen jeweils nach vier Achteln wechselnde Akkorde, nachdem sie von Takt 1–4 nur auf dem ersten und dritten Viertel einen gebrochenen Akkord haben anklingen lassen. Es wird also in diesem Satz bereits eine Vorahnung von dem Wiegenlied vermittelt, wobei die gleichlautenden Sechzehntel-Triolen vor allem in Takt 5 und 6, aber auch in Takt 7 noch einmal, nichts anderes als einen Pastorale-Orgelpunkt darstellen.

Über die nun folgende Wiegenlied-Arie »Schlafe, mein Liebster, genieße der Ruh« (Satz 19) ist gesagt worden, sie stehe an falscher Stelle im Weihnachts-Oratorium, sie gehöre in den Teil III; Albert Schweitzer hat sogar eine Umstellung dorthin empfohlen (Seite 680 seines Bach-Buches). Sicherlich ist der Gedanke eigentümlich, den Hirten das Wiegenlied, das sie spielen sollen, zunächst vorzumusizieren. Aber darum geht es tatsächlich. Würde man die Arie an dieser Stelle wegnehmen, verlöre das vorangehende Accompagnato-Rezitativ seinen Sinn, und obendrein käme das gesamte Gefüge der Gliederung ins Wanken. Daß diese Arie dem Alt zugeteilt ist, dem Sinnbild der Mutter Maria, erscheint nach unseren bisherigen Beobachtungen zwangsläufig. Ihre Stimme wird jedoch überhöht durch eine mitspielende, oktavierende Flöte, die Bach selbstverständlich erst im Weihnachts-Oratorium dazu genommen hat und die also in der Parodievorlage nicht eingesetzt war. Die Flöten sind in Teil II – das zeigte bereits die Sinfonia – mitsamt den Violinen an die Stelle der hier nicht beteiligten Trompeten getreten und repräsentieren die himmlische Welt. Aber die Hirten sind ihrerseits, wie es in dem Rezitativ zuvor angekündigt war, mit ihren Instrumenten mit einbezogen, zu denen sich die Streichinstrumente gesellen. Das Wiegenlied wird also als ein gemeinsames Lied der Engel, der Mutter Maria und der Hirten dargeboten. Dabei steht es nicht, wie man annehmen könnte, in einem Dreiertakt, sondern im $\frac{2}{4}$-Takt. Dieser hat seinerseits wie die folgende, gleich zu Beginn sich über acht Takte erstreckende, gleichförmige Continuo-Bewegung zeigt, Wiegenlied-Charakter:

Die Hirten aber spielen mehrere Takte lang über einem Orgelpunkt der Oboe da caccia II und der Viola, wieder also eine Art Pastorale, während der Continuo sich in den gebundenen Oktavsprüngen bewegt. Wir haben es hier mit einer besonders tiefsinnigen musikalischen Gestaltung zu tun, die gegenüber dem *B*-dur der Vorlage durch das tiefere *G*-dur, zu dem bereits das vorangehende Rezitativ zurückgekehrt war, wiederum einen völlig anderen Charakter gewonnen hat. Bei dieser Arie kann man vermuten, daß Bach sie bei der Arbeit an dem Dramma per Musica BWV 213, Satz 3, gleichzeitig mitkonzipiert hat; wird sie doch dem Text des Weihnachts-Oratoriums letzten Endes besser gerecht, als dies in der Vorlage geschieht. – Der eigentümliche Wortlaut der Wiegenlied-Arie bedarf einer Erläuterung. Er ist – abweichend von der Vorlage – durch das kontrastierende Wortpaar »schlafe« und »wache« gekennzeichnet, was auch musikalisch deutlich zum Ausdruck kommt. Für ein Wiegenlied ist diese Gegensätzlichkeit ungewöhnlich. Man erfaßt den Sinn dieses Textes gewiß am besten mit Hilfe der Vorstellung, daß die Mutter Maria als Urbild der Glaubenserfahrung beim Wiegen des Christuskindes über dessen Zukunft nachsinnt. Jetzt soll es die Ruhe, die ihm die stillende Mutter schenkt, genießen und d. h. das wahrhafte Menschgewordensein erleben; später aber wird es umgekehrt sein, wenn Jesus sich als das Heil der Menschen (»vor aller Gedeihen«) offenbaren wird.

– In der rechten Gegenüberstellung der Worte »schlafe« und »wache« liegt eine besondere Aufgabe bei der Wiedergabe dieser Arie; denn bei der Kontrastierung der Aufforderung »wache« z. B. in Takt 52f. nach dem Wort »Ruh« durch den Sprung einer kleinen None oder im Takt 76f. durch den Oktavsprung zum *e''*, den Grenzton im Umfang der Altstimme, verliert dieser Satz allzuleicht, wenigstens vorübergehend, den Charakter des Wiegenliedes, der doch unbedingt durch Vermeidung jeder Dramatisierung gewahrt werden muß. Von der Einzelheit der vom Urbild abweichenden Stimmführung bei den Worten »pflege« bzw. »genieße der Ruh« war bereits auf Seite 19 gesprochen worden. Sie zeigt deutlich die Stille, die über diesem Satz im ganzen liegt. Er erfährt zwar im Mittelteil (Takt 113–152) durch die Notenreihen beim Wort »erfreuen« (Takt 118ff., 122ff., 130f., 137f. und 145ff.) eine Auflockerung (Bach hat diesen Teil in der Parodie weitgehend umgestaltet), aber eine gewisse Verhaltenheit bestimmt dennoch den Gesamtcharakter der Arie.

Ein kurzes Evangelisten-Rezitativ mit Lukas 2, 13 »Und alsobald war da bei dem Engel die Menge der himmlischen Heerscharen, die lobten Gott und sprachen« (Satz 20), das sich bei den Worten »Menge der himmlischen Heerscharen« sinnbildhaft in der Höhe zwischen *e'* und *g'* bewegt, bildet den Übergang zu dem Tutti-Chor »Ehre sei Gott in der Höhe« (Satz 21), also zu einem sogenannten Turba-Satz, wie es das Oratorium bei einer Mehrzahl von redenden Stimmen verlangt. Zwar ist neuerdings die Möglichkeit, daß es sich auch hier um eine Parodie handelt, erwogen worden, doch trägt die autographe Partitur mit ihren zahlreichen Korrekturen alle Anzeichen einer Urschrift. Dem Text entsprechend ist der Chor dreiteilig angelegt: »Ehre sei Gott in der Höhe« – »Und Friede auf Erden« – »Und den Menschen ein Wohlgefallen«; jedoch wird er zweimal, bei der Wiederholung aber verkürzt, durchgeführt. Verteilen sich die Taktzahlen bei der ersten Durchführung wie folgt: A = 24 – B = 6 – C = 18, so bei der zweiten A' = 8 – B' = 4 – C' = 5. Es liegen also sehr klare Zahlenverhältnisse vor, wobei die einzige ungerade Zahl sich durch den abschließenden Takt ergibt. Jeder Teil trägt der Eigenart seines Textes besonders Rechnung; dabei greift Teil C beide Male auf die das Stück tragenden Vierachtelgruppen des Continuo von A zurück, die lediglich bei den Worten des kurzen Mittelteiles B und B' durch Orgelpunkte unterbrochen werden. Der gesamte Continuo-

Part ist für den Chor von grundlegender Bedeutung. Er erinnert bei A und C an die Ecksätze vom Credo der *h*-moll-Messe »Credo in unum Deum« und »Confiteor unum baptisma«; hier wie dort deutet die Gestalt des Continuo (in der *h*-moll-Messe sind es unaufhörliche Viertelgänge) auf das ewige Walten Gottes. Im Chor des Weihnachts-Oratoriums wird die göttliche Totalität noch dadurch besonders hervorgehoben, daß die Achtelbewegungen in Takt 1–4 zunächst einmal den Oktavraum, das Sinnbild des Alls (in der älteren Musiktheorie ist die Bezeichnung für Oktave das griechische Wort Diapason, das wörtlich »durch das Ganze« besagt), durchmißt:

(In der *h*-moll-Messe hat Bach dieselbe Sinnbildlichkeit auf den ersten Takt des Credo konzentriert.) Erst nach dieser Grundlegung in den vier ersten Takten wird der Continuo vielfältig variiert fortgeführt, um jedoch von Takt 49–52 noch einmal genau wiederholt zu werden, dieses Mal vom Ton C ausgehend. Im weiteren Verlauf erhalten die Achtelgruppen in zahlreichen ersten Takthälften folgende, eine die Bewegung noch antreibende Gestalt:

Der Sinn dieses Continuo-Verlaufs läßt sich folgendermaßen deuten: Die Allmacht und Ewigkeit Gottes erfüllt mit dem »Gloria in excelsis Deo«, dem Lobgesang der Engel, in der Christnacht das Dunkel der Welt. Die starke Bewegung des Chores wird jedoch bei den Worten »und Friede auf Erden« zweimal durch Orgelpunkte unterbrochen (Takt 25–30 und Takt 57–60), völlig übereinstimmend mit der musikalischen Gestaltung der Stelle »et in terra pax« im Gloria der *h*-moll-Messe (Takt 101–103), das etwa ein Jahr früher entstanden war; und auch die dort stehende Angabe »tasto solo«, die besagt, daß in den betreffenden Takten der Continuo nicht beziffert und daher nicht mit Akkorden auszusetzen ist, fehlt im Weihnachts-Oratorium nicht. Diese Orgelpunkte sollen gewiß die Ruhe des himmlischen Friedens symbolisieren, aber sicherlich nicht nur dies, sondern darüber hinaus den für einen Augenblick eingetretenen Stillstand der Menschheitsgeschichte durch die Erscheinung Gottes in seiner Menschwerdung in Jesus von Nazareth.

Über dem mit Sinnbildlichkeit angefüllten Continuo vollzieht sich der zweimal durchgeführte dreiteilige Chorsatz in der, nach Alfred Dürrs Worten, wenn auch nicht strengen Gestalt von »Passacaglia – Orgelpunkt – Kanon«. Der erste Teil ist durch weitgezogene polyphone Stimmführung, manchmal in Verbindung mit dem Continuo, gekennzeichnet und der zweite, der in den originalen Stimmen mit »piano« überschrieben ist, durch ausdrucksvolle Hervorhebung des Wortes »Friede«, der sich – bildhaft durch die Figur der Katabasis dargestellt – zur Erde herabneigt; gleichzeitig deklamiert die Baßstimme dreimal sehr deutlich in rhythmisch gleicher Notenfolge die Worte »und Friede auf Erden« (Takt 25–31 und noch einmal verkürzt in Takt 57–60). Dazu spielen die Flöten und Streichinstrumente durch Achtelpausen voneinander abgehobene und diatonisch abwärtsgeführte Dreierfiguren, auch dies ein Symbol für die Deszendenz des dreieinigen Gottes. Die Holzbläser vollführen in enger Anlehnung an die Vokalstimmen einen Legato-Satz, womit sie auf ihre Weise von dem Frieden künden. Somit besteht, wie der Notenausschnitt (siehe Seite 70f.) zeigt, der an dieser Stelle besonders kunstvolle Satz aus vier verschiedenen musikalischen Schichten. Im dritten Teil schließlich wird der Text durch ein syllabisches Kopfmotiv (»und den Menschen ein«) hervorgehoben, das danach in eine bildhafte Ausdeutung des Wortes »Wohlgefallen« mit Sechzehntelfiguren und -läufen übergeht. Während im ersten Teil das gesamte Instrumentarium (mit Ausnahme des Continuo) ständig durch Pausen unterbrochene, kurze Akkorde eingeworfen hatte, gehen im dritten (Takt 31ff.) die Flöten und Streichinstrumente mit den Vokalstimmen zusammen, während die Oboen ihren Legato-Satz vom Mittelteil weiterführen. Nur in den allerletzten Takten der zweiten Durchführung (Takt 61ff.) werden dann schließlich auch sie in die Colla parte-Führung mit einbezogen, so daß sie zu dem krönenden Abschluß dieses Satzes auf ihre Weise beitragen.

25
Flöte I
Flöte II
Oboe d'amore I
Oboe d'amore II
Oboe da caccia I
Oboe da caccia II
Violine I
Violine II
Viola
Sopran
- he und Frie - - - de auf Er- den, und Frie -
Alt
- he und Frie - - - de auf Er- den, und Frie -
Tenor
- he und Frie - - - de auf Er-den, Frie - -
Baß
- he und Frie-de auf Er - den,
Continuo
tasto solo

28
- - - de auf Er-den, Frie - - - de auf Erden und den
- - - de auf Er - den, und Frie - - - de auf Er- den
- - - de auf Er - den, und Frie - - - de auf Er- den
und Frie- de auf Er - den, und Friede auf Er- den
6 7
f

Durchstrichener Entwurf zu dem Rezitativ »So recht, ihr Engel«.

Endgültige Fassung des Rezitativs »So recht, ihr Engel«.

Bach hat diesen Chor in den Singstimmen mit dem Alla breve-Zeichen ¢ versehen, bei den Instrumenten jedoch mit C; stattdessen ist in den Continuo-Stimmen »Vivace« vermerkt, was den Widerspruch aufhebt. Es ist also ein zügiges Zeitmaß gemeint, das jedoch nicht überzogen werden sollte, wie man es gelegentlich erlebt. Das normale Zeitmaß für den Alla breve-Takt, ein Hauptzeichen für den traditionsreichen Stile antico, ist der etwas verlangsamte menschliche Pulsschlag mit etwa der Dauer von einer Sekunde für die halbe Note. Nicht durch besondere Schnelligkeit kommt dieser Erhabenheit und Majestät ausstrahlende Chor, der zu den großartigsten in Bachs Gesamtwerk gehört, zum rechten Erklingen.

Bei dem kurzen Baß-Rezitativ »So recht, ihr Engel, jauchzt und singet« (Satz 22), das den Übergang zum Schlußchoral von Teil II bildet, ergibt sich die Frage, warum Bach es nicht mit einem Accompagnato versehen hat, handelt es sich doch nicht um ein Evangelisten-Rezitativ, sondern um eine madrigalische Dichtung. Tatsächlich hatte Bach ursprünglich hier ein begleitetes Rezitativ geplant; darüber gibt uns das Autograph Auskunft, das uns an dieser Stelle einen besonders guten Einblick in den Schaffensvorgang gewährt (siehe Abbildung auf Seite 72f.). Darin ist nämlich die Singstimme bis »so schön ge-« und ebensoweit auch der Continuo der zunächst vorgesehenen Fassung eingetragen, während die Systeme für die mitspielenden Instrumente (alle vier Oboen und die Streichinstrumente) nur gezogen und mit den Schlüsseln versehen, sonst aber unbeschrieben geblieben sind. Nachdem Bach in der Vokalstimme auch noch Korrekturen und die ersten anderthalb Takte von *C*-dur nach *G*-dur umgeschrieben hatte, hat er das bis dahin Geschriebene wieder ausgestrichen und die endgültige Fassung des Satzes als einfaches Rezitativ auf einer neuen Seite eingetragen. Was mag ihn zu dieser Änderung bewogen haben? Man muß vermuten, daß ein so reich besetztes, zudem noch so kurzes Rezitativ, das ja nur die Ankündigung des Sprechers der Hirten – diese Personifizierung der Baßstimme ist eindeutig –, in den Chor der Engel mit einstimmen zu wollen, ausspricht, hier nicht am rechten Platz gewesen wäre; andernfalls hätte das Rezitativ gewiß zu viel von dem abschließenden Choral vorweggenommen. So jedoch bildet es in seiner Lebhaftigkeit – man beachte die vier emphatischen Ausrufe in dem kurzen Satz »So recht«, »jauchzt und singet«, »so schön« und »Auf denn!« – den angemessenen Übergang vom Gloria-Chor zum Schlußchoral von Teil II.

Der Text dieses Chorals (Satz 23) ist die zweite Strophe von Paul Gerhardts Lied »Wir singen dir, Immanuel«; er bringt genau das zum Ausdruck, was die Hirten unmittelbar vorher angekündigt haben: »Wir singen dir in deinem Heer«, nämlich im Heer der himmlischen Heerscharen. Das »Wir« dieser Strophe meint aber wieder nicht allein die Hirten der Weihnachtsgeschichte; sie haben vielmehr nur stellvertretend für die christliche Gemeinde gesprochen. Nunmehr vollendet sich in diesem Choral, was in der Sinfonia zu Beginn von Teil II bereits angeklungen ist: Die himmlische Musik vereint sich mit der der Menschen. In dem – wie die Sinfonia – im $\frac{12}{8}$-Takt stehenden Satz gesellen sich die Streichinstrumente zu dem, in der Grundstruktur zwar homophon geführten, aber den Reigenrhythmus durch Zwischennoten (♩‿♪) aufnehmenden Vokalstimmen, während der Continuo den $\frac{12}{8}$-Takt mit der bekannten Figur der Sinfonia bestreitet. Die übrigen Instrumente, die Flöten und Oboen, versehen den Satz mit Zeilenzwischenspielen (wir bezeichneten sie auf Seite 50 und 52 beim Schlußchoral von Teil I als auskomponierte Fermaten), wobei die Oboe da caccia II genau wie in der Sinfonia den zur Pastorale gehörenden Orgelpunkt übernimmt. Hier nun haben sich die Repräsentanten der himmlischen Musik, die Violinen, mit den menschlichen Stimmen im Chor und die Flöten mit den Hirteninstrumenten vollends vereint. Bei den letzteren ist dies besonders anschaulich: beide Instrumentengruppen stehen sich nicht mehr gegenüber wie zunächst in der Sinfonia, sondern gehören nun ganz zusammen, indem nicht nur die Oboen am Engelreigen teilhaben, sondern indem auch umgekehrt die jetzt unisono geführten Flöten jene rhythmischen Bewegungen der Hirteninstrumente (♩‿♪♩‿♪), die in der Sinfonia vor allem am Anfang einen schwermütigen Klang hatten, nun mitaufnehmen, um sie zugleich durch zumeist oktavierendes Spiel aufzuhellen und somit zu verwandeln. Was zu Beginn von Teil II zunächst nur andeutungsweise geschehen ist, das erscheint hier nun vollendet. Darum kann der Choralsatz mit den vereinigten Flöten und Oboen schließen; himmlische und irdische Klänge haben sich ganz und gar zusammengefunden. Sinnfälliger kann die Weihnachtsbotschaft nicht dargestellt werden.

Teil III

Der in Tonart und Besetzung mit Teil I korrespondierende Teil III ist, wie die nebenstehende Skizze zeigt, wiederum, wenn auch nicht völlig streng, symmetrisch gegliedert. Textlich liegen diesem Teil die Verse 15–20 aus Lukas 2 zu Grunde, die von der Anbetung der Hirten im Stall von Bethlehem berichten. Eine Asymmetrie ergibt sich hier zwangsläufig aus den drei im Bibeltext geschilderten Vorgängen, dem Aufbruch der Hirten (Vers 15), der Ankunft sowie der Anbetung im Stall von Bethlehem (Vers 16–19) und der Umkehr der Hirten (Vers 20). Von diesen drei Abschnitten ist der dritte nicht nur der kürzeste, sondern auch relativ unwichtigste; im Gesamtablauf des Teils erscheint er mit der sich anschließenden Choralstrophe fast nur wie eine angefügte letzte Mitteilung. Das Schwergewicht liegt somit auf den zweimal vier Sätzen Nr. 25–29 (die Sätze 25 und 26 mit Lukas 2,15 sind hier als ein Satz zu zählen) und Nr. 30–33, von denen jede Satzgruppe, wie sich zeigen wird, durch eine strenge Gedankenfolge gekennzeichnet ist.

Den Rahmen bildet in Teil III der Chor »Herrscher des Himmels, erhöre das Lallen«, mit dem der Teil beginnt und der am Schluß wiederholt werden soll. Wenn Bach am Ende sowohl in der autographen Partitur wie auch in den originalen Stimmen vermerkt hat: »Chorus I ab initio repetatur et claudatur« (der Eingangschor möchte wiederholt und [mit ihm dieser Teil] beschlossen werden), dann wollte er gewiß damit nicht eine Möglichkeit aufgezeigt haben, sondern eine Anweisung geben. Der Chor ist ein Lobpreis in Tutti-Besetzung – nur in ihm kommen in diesem Teil die Trompeten zum Einsatz –, dessen sechszeiliger Text nur am Ende auf das weihnachtliche Ereignis Bezug nimmt: ». . . weil unsre Wohlfahrt befestiget steht«. (Man muß hier selbstverständlich über die vordergründig materielle Bedeutung, die das Wort »Wohlfahrt« heute allein noch hat, hinwegsehen und es seelsorgerlich verstehen.) Die musikalische Gestalt ist wie bei den anderen Eingangschören ein Konzertsatz mit eingebauten Chorstimmen, jedoch nicht wie bei jenen in Da capo-Form (A–B–A), sondern zweiteilig (A–B); dabei kommen auf jeden Teil drei Textzeilen. Bemerkenswert ist, wie nach der instrumentalen Einleitung im Takt 17 die drei chorischen Oberstimmen nicht imitierend, sondern besonders reizvoll mit drei

Teil III

24. Chor: Herrscher des Himmels, erhöre das Lallen
    Tutti mit Trompeten; D-dur, $\frac{3}{8}$-Takt

25. Evangelist: Und da die Engel von ihnen gen Himmel fuhren
    A-dur
26. Chor: Lasset uns nun gehen gen Bethlehem
    Holzblas- und Streichinstrumente; A-dur → cis-moll, $\frac{3}{4}$-Takt
27. Begleitetes Rezitativ: Er hat sein Volk getröst'
    Baß, Flöte I und II, Bc.; A-dur, $\frac{3}{4}$-Takt
28. Choral: Dies hat er alles uns getan
    Holzblas- und Streichinstrumente; A-dur, $\frac{4}{4}$-Takt
29. Arie (Duett): Herr, dein Mitleid, dein Erbarmen
    Sopran und Baß, Oboe d'amore I und II, Bc.; A-dur, $\frac{3}{8}$-Takt

(24.) Chor: Herrscher des Himmels, erhöre das Lallen (Wiederholung)
    Tutti mit Trompeten; D-dur, $\frac{3}{8}$-Takt
35. Choral: Seid froh dieweil
    Holzblas- und Streichinstrumente; fis-moll, $\frac{4}{4}$-Takt
34. Evangelist: Und die Hirten kehrten wieder um
    fis-moll

33. Choral: Ich will dich mit Fleiß bewahren
    Holzblas- und Streichinstrumente; G-dur, $\frac{4}{4}$-Takt

32. Begleitetes Rezitativ: Ja, ja, mein Herz soll es bewahren
    Alt, Flöte I und II, Bc.; G-dur, $\frac{4}{4}$-Takt
31. Arie: Schließe, mein Herze, dies selige Wunder
    Alt, Violine solo, Bc.; h-moll, $\frac{2}{4}$-Takt
30. Evangelist: Und sie kamen eilend
    h-moll

verschiedenen Themenköpfen nacheinander einsetzen, bevor im Takt 33 der Satz zur Vollstimmigkeit übergeht. Das gleiche Verfahren, jedoch mit etwas veränderter Motivik, wiederholt sich im Teil B folgendermaßen: Takt 49–64 instrumentales Zwischenspiel, Takt 65–80 Einsatz der drei oberen Vokalstimmen Tenor, Sopran und Alt im Abstand von vier Takten, Takt 81–96 Vollstimmigkeit mitsamt allen Instrumenten. Beim Abschluß (»befestiget steht«) konnte Bach den Aushalteton des Soprans der Vorlage, der dort die Worte »lebe noch lang« versinnbildlicht, ebenso sinnvoll beibehalten. In seiner elementaren Musizierfreudigkeit bildet der Chor »Herrscher des Himmels« den rechten Rahmen für den Teil III des Oratoriums, mit dem die eigentliche Weihnachtsgeschichte abgeschlossen wird.

Dem ersten, besonders kurzen Evangelisten-Rezitativ mit nur drei Takten (Satz 25) folgt der Chor der Hirten »Lasset uns nun gehen gen Bethlehem« (Satz 26). Er ist – darin besonders typisch für barocke Satztechnik – durch eine Kontrastierung von drei verschiedenen, gleichzeitig erklingenden Rhythmen gekennzeichnet, die – jeder auf seine Weise – Bewegung illustrieren, die Vokalstimmen mit den colla parte spielenden Oboen d'amore, Violine II und Viola in anlaufenden Achteln, die in Viertel übergehen und verschiedentlich schließlich noch eine Halbe erreichen, der Continuo mit langen Achtelläufen, die sich hin und wieder mit der Baßstimme des Chores zusammenfinden, und schließlich die Flöten im Verein mit der Violine I durch ununterbrochene Sechzehntelketten (siehe nebenstehendes Notenbeispiel). In der zweiten Hälfte des Verses, bei den Worten »und die Geschichte sehen . . .«, behalten die obligaten Instrumentalstimmen und der Continuo die Art ihres bisherigen Spiels bei, während sich die Vokalstimmen dem weiteren Text anpassen (Takt 15 ff.). – Friedrich Smend hat von der Gegenbewegung der Vokalstimmen in diesem Satz gesagt: »In ihnen antworten die Stimmen einander in der Gegenbewegung; diese Umkehrungsform aber ist Sinnbild der einen wahren Umkehr, der Buße, ohne die es keinen Weg zu Christus gibt.« Es sei dahingestellt, ob damit nicht zu viel aus dem Satz herausgelesen wird. Auffällig ist die Vereinheitlichung der Bewegung der Singstimmen in eine Richtung von Takt 12 ab. Liegt daher nicht die Annahme näher, daß die Hirten aus einem Zustand der Verstörung sich nunmehr fangen und auf einem gemeinsamen Weg finden? Aus den abschließenden Tönen des Continuo von Takt 20 bis 27 hat Smend einen Anklang an die Melodie

Flauto traverso I, II
Violino I
Soprano
Oboe d'amore I
Violino II
Alto
Oboe d'amore II
Tenore
Viola
Las - set uns nun
Basso
Continuo
2
Las - set uns nun
ge - hen gen Beth - - le -
Las-set uns nun ge - hen gen

von »O Haupt voll Blut und Wunden« herausgehört, wie die folgenden unterstrichenen Noten zeigen:

Dazu vermerkt er: »Der Weg nach Bethlehem – das will Bach sagen – ist der Weg nach Golgatha; die Krippe steht, gerade wenn sie in der Kirche als Gegenwart erlebt wird, unmittelbar unter dem Kreuz.« So schön Smends Beobachtung ist, so können wir dennoch auch hier nur sagen: es ist ganz unwahrscheinlich, daß bei dieser Melodie die Gottesdienstbesucher zur Zeit Bachs unwillkürlich an Paul Gerhardts Passionslied, das damals noch wenig bekannt war, erinnert wurden. Viel näher liegt doch die Annahme, daß – falls hier überhaupt eine Absicht Bachs vorliegt – er Gerhardts Adventslied noch einmal anklingen lassen wollte; denn dieses wurde ja ebenfalls nach der Weise des Sterbeliedes »Herzlich tut mich verlangen« gesungen (vgl. die beiden Zitate Smends in ›Kirchen-Kantaten‹ Seite 36 und 37).

Auf den Chor der Hirten folgt ohne Unterbrechung das begleitete Baß-Rezitativ »Er hat sein Volk getröst',/Er hat sein Israel erlöst,/Die Hülf aus Zion hergesendet/Und unser Leid geendet./Seht, Hirten, dies hat er getan;/Geht, dieses trefft ihr an!« (Satz 27). Der Text erfüllt streng die Funktion des Accompagnato-Rezitativs im Oratorium, indem es die heilsgeschichtliche Bedeutung der Weihnachtsgeschichte bestätigt, nämlich Israels Erlösung, d.h. die Erlösung des Volkes Gottes, dem die alttestamentliche Verheißung gegeben war, und Hilfe aus Zion dadurch, daß der Heiland aus dem Volk der Verheißung selbst hervorgeht, wodurch das nicht schicksalhafte, sondern schuldvolle menschliche Leid durch die göttliche Liebe beendet wird. Aus wessen Munde kommen diese Worte? Begleitet wird das Rezitativ nicht von den Oboen, den Hirteninstrumenten, wie man annehmen könnte, sondern von den beiden Flöten, womit auf die göttliche Botschaft verwiesen wird. Aber hinter den Worten steht vielleicht dennoch sinnbildhaft die Gestalt eines Hirten, der das Geschehen begriffen hat und nun vor seinen

Gesellen bekennt, was sie im Stall von Bethlehem erwartet, die Stimme eines Hirten zwar, aber zugleich in Stellvertretung für jeden Menschen, der zu glauben beginnt. Doch möchten wir diese Deutung nicht als die einzig mögliche ansehen; die Baßstimme mag auch ganz einfach das verkündigte Wort Gottes repräsentieren.

An dieser Stelle wird ein Choral eingeschoben, die letzte, zusammenfassende Strophe von Luthers Lied »Gelobet seist du, Jesu Christ« (Satz 28), mit der das Bekenntnis des Hirten – falls es so zu verstehen ist, in jedem Falle aber die göttliche Botschaft – sogleich als Bekenntnis der christlichen Gemeinde aufgenommen wird. Auf die vorangegangenen Worte »Seht, Hirten, dies hat er getan« folgt unmittelbar »Dies hat er alles uns getan«. Die Geschichte wird zur Gegenwart, der zeitliche Abstand aufgehoben. Auch an diesem Choralsatz fallen die zahlreichen Zwischennoten, vor allem in den Nebenstimmen, auf, die jedoch verschiedentlich auch in die Melodie eingefügt sind. Man wird auch ihm mit seinen ausdrucksvoll »redenden« Stimmführungen nur gerecht, wenn man ihn in gemessener Breite, unter Beachtung jeder musikalischen Bewegung – in welcher Stimme sie auch auftritt –, deutlich aussingt; das gilt insonderheit für den drittletzten Takt, in dem sämtliche Stimmen gleichzeitig und nahezu einheitlich in einer großen Steigerung mit dehnenden Zwischennoten ausgestattet sind und der Tenor auf seinen Höhepunkt zugeführt wird, den er im folgenden Takt erreicht. Gemessene Breite ist nicht gleichbedeutend mit schleppendem Zeitmaß; vielmehr verlangt dieser Choralsatz große innere Anspannung, damit er in majestätischer Größe erklingt.

Die erste Gruppe der genannten vier bzw. fünf Sätze schließt mit dem Duett »Herr, dein Mitleid, dein Erbarmen, tröstet uns und macht uns frei« (Satz 29). Man kann sich dieses nur als Äußerung der in froher Erwartung zum Stall nach Bethlehem eilenden Hirten vorstellen. Die beiden Oboen d'amore als obligate Begleitinstrumente bestätigen dies. Doch auch hier soll man nicht allein an Gestalten der Weihnachtsgeschichte denken; denn mit den Hirten sind Prototypen, »Erstlinge« des Glaubens gemeint. Bei diesem Duett hat Bach eine besonders gründliche Umarbeitung der Vorlage »Ich bin deine, ich küsse dich, küsse mich« (Oberstimme) bzw. »Du bist meine, küsse mich, ich küsse dich« (Unterstimme) (BWV 213, Satz 11) vorgenommen. Zunächst erforderte die Einordnung in den neuen musikalischen Zusammenhang eine Transposition von *F*-dur nach *A*-dur und damit eine Umbesetzung der Vokalstimmen von Alt und Tenor nach Sopran und Baß. Sodann hat Bach die Instrumentierung geändert: an die Stelle von zwei Violen sind die beiden Oboen d'amore getreten. Im Unterschied zur Vorlage ist dieses Duett im Weihnachts-Oratorium kein dialogisierender Gesang, sondern ein gemeinsames lebensvolles Bekennen von Gottes Mitleid und Erbarmen. Besonders beim Mittelteil der Vorlage, dessen Text lautet »Wie Verlobte sich verbinden,/Wie die Lust, die sie empfinden,/Treu und zart und eiferig,/So bin ich«, ergaben sich in der Parodie für die Vokalstimmen wesentliche Eingriffe. Wenn der Text im Weihnachts-Oratorium demgegenüber den Wortlaut hat »Deine holde Gunst und Liebe,/Deine wundersamen Triebe/Machen deine Vatertreu/Wieder neu«, so kann Bach nur sehr daran gelegen haben, diesen völlig andersartigen Sinnzusammenhang hinreichend musikalisch zu gestalten. So ist mit dem Duett »Herr, dein Mitleid, dein Erbarmen« ein Werk entstanden, das die kindlich vertrauensvolle Empfindung, die die nach Bethlehem eilenden Hirten gehabt haben mögen, besonders schön zum Ausdruck bringt. Die Schwierigkeit einer überzeugenden Wiedergabe dieses Stückes beruht auf seiner ungewöhnlichen Länge von 280 Takten, mit der es in Gefahr gerät, langatmig zu werden. Doch deuten der $\frac{3}{8}$-Takt und die Tonart *A*-dur, vor allem aber vorwärtsdrängende instrumentale Bewegungen wie die folgenden, besonders in Takt 5–8, die später auch von den Vokalstimmen verschiedentlich aufgenommen werden, auf ein gelöstes, fröhliches Musizieren:

4
7
10

Besonders zu beachten ist der Verlauf des Continuo im Mittelteil des Duetts von Takt 120–126:

Da die in Terzen absteigende Sequenzfigur siebenmal erklingt – in der Vorlage wird in Takt 124 der regelmäßige Abstieg unterbrochen und von neuem in der Höhe begonnen – darf man vermuten, daß Bach im Weihnachts-Oratorium damit eine Versinnbildlichung der sich herabneigenden göttlichen »Gunst und Liebe« verbinden wollte.

Mit dem die Verse 16–19 aus Lukas 2 wiedergebenden Evangelisten-Rezitativ (Satz 30) beginnt die andere Gruppe von vier enger zusammengehörenden Sätzen von Teil III. Das Rezitativ berichtet von der Ankunft der Hirten in Bethlehem beim Kind in der Krippe, davon daß sie das Wort ausbreiteten, welches zu ihnen gesagt war, und von der Verwunderung, die sie mit ihrer Kunde hervorriefen. Nach dieser dritten Aussage folgt im Rezitativ ein Einschnitt in Gestalt einer Kadenz, so daß die vierte mit den Worten »Maria aber behielt alle diese Worte und bewegte sie in ihrem Herzen« von den drei ersten deutlich abgesetzt erscheint. Während das Rezitativ bis zu dieser Stelle lediglich von Stützakkorden getragen wird (von je einer Sechzehntelfigur zwischen dem ersten und zweiten sowie zwischen dem zweiten und dritten Satz abgesehen), tritt der Continuo nach der Kadenz beim Übergang zum vierten Satz eigenständiger hervor: Nachdem hinter der ersten Vershälfte noch einmal eine gliedernde Sechzehntelfigur eingefügt ist, mündet er in folgende chromatisch abwärtsführende Tonfolge ein:

Mit den vier Achteln von Takt 14 und dem darauffolgenden Viertel sind die Worte des Evangelisten »(be)wegte sie in ih(rem Herzen)« verbunden; Bach wendet hier die Figur der Katabasis in Verbindung mit der der Pathopoiia an, womit er offensichtlich den Schauer des Geheimnisvollen, das »selige Wunder«, ausdrücken will. Zu dieser Bewegung steigt umgekehrt die Tonfolge des Evangelisten bis zum *gis'* auf. Man spürt, daß für Bach dieser letzte Vers der inhaltsschwerste war. Tatsächlich knüpfen an ihn allein die drei folgenden Sätze an, die von ganz besonderer Konsequenz in der inhaltlichen Gestaltung des Weihnachts-Oratoriums sind.

Die nun folgende Alt-Arie »Schließe, mein Herze, dies selige Wunder« (Satz 31) ist ein zweites Wiegenlied der Mutter Maria (das erste war die Arie »Schlafe, mein Liebster« in Teil II). Sie gehört zu den Originalkompositionen des Oratoriums; jedoch hat Bach auch bei ihr, wie schon früher erwähnt (s. Seite 13), eine Parodieabsicht gehabt, die sich jedoch aus formalen Gründen offenbar als undurchführbar erwies (siehe das Nähere bei Dürr, Seite 5 f.). Aber nicht nur dies! Wie sich aus der autographen Partitur ergibt, hat er an der betreffenden Stelle den Beginn einer Alt-Arie im $\frac{3}{8}$-Takt mit zwei Flöten, zwei Violinen und Viola als begleitende Instrumente eingetragen, danach aber wieder ausgestrichen. Möglicherweise ist ihm die Besetzung für ein Wiegenlied zu groß erschienen, und vielleicht hat er auch die unisono und im lockeren $\frac{3}{8}$-Takt geführten Flöte I und Violine I als unangemessen empfunden (siehe nebenstehende Abbildung). In der endgültigen Fassung hat Bach den $\frac{2}{4}$-Takt der Arie »Schlafe, mein Liebster« aufgegriffen und sich auf eine Solo-Violine als obligates Begleitinstrument beschränkt. Dies letztere tat er gewiß nicht, um eine besonders virtuose, sondern um vielmehr eine herausragend ausdrucksvolle Stimme zu schreiben. Daß aber nicht nur ein Dreierrhythmus, sondern auch der (womöglich holprige) $\frac{2}{4}$-Takt zum Wiegenlied gehörig empfunden wurde, zeigte bereits die Arie »Schlafe, mein Liebster«. Besonders anschaulich geht dies auch aus einer Stelle im Oratorium ›Die Kindheit Jesu‹ von Bachs Sohn Johann Christoph Friedrich Bach (1732–1795) hervor; dort lautet die »Aria: Maria (frohwehmütig über der Krippe)« von Takt 25–28 beim Einsatz der Vokalstimme, des Alts(!):

Durchstrichener Entwurf und darunter Beginn der gültigen Fassung von der Alt-Arie »Schließe, mein Herze«.

Nicht nur der $\frac{2}{4}$-Takt kennzeichnet das Wiegenlied, sondern auch die Synkopierungen in den Oberstimmen sowohl in der Arie »Schließe, mein Herze« wie in der von Bachs Sohn, und sogar die Oktavbewegungen des Continuo bei »Schlafe, mein Liebster« kehren in dem Oratorium aus dem Zeitalter der Empfindsamkeit noch wieder.

In der Arie »Schließe, mein Herze« spricht besonders eindrucksvoll das Urbild des Glaubens in der Gestalt der Mutter Maria gleichsam in einem Selbstgespräch angesichts der Krippe mit dem Jesuskind: Im menschlichen Herzen soll das selige Wunder beschlossen sein, damit es jederzeit den schwachen Glauben zu stärken vermag! Es ist der gleiche Gedanke, dem wir bereits am Ende von Teil I in der Lutherstrophe »Ach mein herzliebes Jesulein, mach dir ein rein sanft Bettelein«, bei dem es um das Nicht-vergessen-können geht, begegnet waren. Versteht man diese Arie so, wie es hier geschieht, als eine Meditation, die Vers 19 der Weihnachtsgeschichte nahelegt, kann man sie nur als ein ehrfurchtsvoll demütiges, ja in sich gekehrtes Stück auffassen, und man wird begreifen, warum Bach den ursprünglichen Gedanken einer größer angelegten Komposition wieder aufgegeben hat.

Auch das folgende Alt-Rezitativ mit Begleitung der beiden Flöten (Satz 32) ist in den Mund der Maria gelegt. Was sie in der Arie sich selbst zugesprochen hat, das bekennt sie nun frei heraus: »Ja, ja, mein Herz soll es bewahren,/Was es an dieser holden Zeit/Zu seiner Seligkeit/Für sicheren Beweis erfahren.« Von der Dominante von *D*-dur ausgehend, leitet es nach dem *h*-moll der demütigen, fast introvertierten Arie »Schließe, mein Herze« in die Tonart *G*-dur über, in der sich danach nun wieder auch die Stimme der Gemeinde meldet. Gleichsam um ein Mißverständnis zu verhüten, als ob es sich lediglich um eine Begebenheit aus längst vergangener Zeit handelte, erklingt an dieser Stelle das Bekenntnis der Kirche: »Ich will dich mit Fleiß bewahren« (Satz 33), ein Choralsatz mit der letzten Strophe aus Paul Gerhardts Weihnachtslied »Fröhlich soll mein Herze springen«. Unwillkürlich erinnert die Wahl dieser Strophe an die Verwendung von Paul Gerhardt-Texten in Bachs Passionen, etwa an den Choral »Ich bin's, ich sollte büßen« in der Matthäus-Passion, die auf das bestürzte Fragen der Jünger »Herr, bin ich's? (der dich verraten wird)« die Handlung mit dem Geständnis »Ich bin's ...« jäh unterbricht, bevor nur Jesus antwortet. Die persönliche Glaubensäußerung meint hier wie dort das Ich jedes Christen, so wie es ja auch der Dichter bereits gemeint hat. So ist die Strophe »Ich will dich mit Fleiß bewahren«, mit der die Begebenheit im Stall von Bethlehem abschließt, nach den befreiten Worten »Ja, ja, mein Herz soll es bewahren« noch eine Steigerung im Bekenntnis zur Offenbarung Gottes in Jesus Christus, jedoch ganz gewiß kein pathetisches, sondern ein überaus frohes und starkes. Auch dieser Choralsatz ist sehr eigengeprägt, wie im Grunde jeder Bachsche Choralsatz, und individuell gestaltet. Seinem freudigen Charakter wird man auch in diesem Falle nicht durch ein hastendes Zeitmaß, bei dem eine Verflüchtigung der wiederum in zahlreichen Zwischennoten »redenden« Nebenstimmen stattfinden würde, gerecht; und es steht ja auch hier die geistige Vorstellung des Gemeindegesanges dahinter. – Als besonderes Problem stellt sich bei diesem Satz die Behandlung der Fermaten. Paul Gerhardt hat bei dem Liede »Fröhlich soll mein Herze springen« die gleiche kunstvolle, von ihm selbst erfundene Strophenform angewandt wie bei seinem Lied »Warum sollt ich mich denn grämen«. In Leipzig wurde daher Gerhardts Weihnachtslied nach der, allerdings wesentlich veränderten, Originalmelodie Johann Georg Ebelings zu »Warum sollt ich mich denn grämen« gesungen. Die sechszeilige Strophe beider Lieder besteht metrisch aus zwei gleichen Hälften, wobei die mittleren Zeilen jeder Hälfte, also die zweite und die fünfte Zeile, aus zwei sich reimenden Halbzeilen bestehen; demgegenüber reimen sich die Zeilen eins und drei sowie vier und sechs. Während in Ebelings Original aber nur die Zeilen zwei und fünf den Noten nach gleich lauten, sang man in Leipzig die vollständige zweite Strophenhälfte genau wie die erste; das war eine spürbare Herabminderung, die Bach jedoch durch eine wechselnde Satzgestaltung verdeckte. Nun befinden sich jedoch in dem Satz »Ich will dich mit Fleiß bewahren« nicht nur an allen Zeilenenden, sondern sogar über den Binnenreimen der beiden Halbzeilen Fermaten und zwar in sämtlichen Stimmen, die allesamt an den betreffenden Stellen eine Halbe und somit keine Durchgangsnoten haben. Bach hat also Gerhardts Strophenform genau respektiert. Bedeutet dies nun, daß sämtliche Zeilenschlüsse, auch die der Halbzeilen länger ausgehalten werden sollten? Obwohl sich diese Frage nicht mit Sicherheit beantworten läßt, so erscheint dies doch vor allem bei der vierten Zeile kaum vorstellbar; denn der im Übergang von Takt 8 zu 9 chromatisch aufwärtsgeführte Baß leitet hier nicht wie in der ersten Zeile nach *C*-dur (Takt 3/4), sondern – wie auch bei der ersten Halbzeile von Takt 10 – nach *a*-moll und bei der zweiten Halbzeile in Takt 11 sogar zum Sextakkord von *D*-dur mit dem Ton *fis* im Baß und dies mitten beim Durchschreiten eines vollen Oktavraums in den letzten Takten. Über dem Satz liegt somit von der ersten bis zur letzten Note eine starke innere Spannung, die durch das Aushalten von Fermaten abgeschwächt werden würde. Sie erlaubt es auch nicht, die letzte Zeile in piano gegenüber den vorangegangenen abzusetzen, wie es in der Praxis zuweilen geschieht; denn die Männerstimmen erreichen in ihr erst den Höhepunkt der Stimmführung.

Mit diesem Choral schließt die zweite Satzgruppe von Teil III (30–33), die gedanklich und musikalisch von zwingender Folgerichtigkeit ist. Es folgt nun noch einmal der Evangelist mit dem kurzen, aber nachdrücklichen Rezitativ, das von der fröhlichen Umkehr der Hirten berichtet (Satz 34 mit Lukas 2,20). Die durch einen Oktavsprung von *g* nach *g'* hervorgehobenen Worte »preiseten und lobten Gott« zeigen in aller Prägnanz den starken inneren Umschwung, der sich bei den vorher auf dem Felde so verängstigten Hirten nun vollzogen hat. Ihren Ton der Freude nimmt unvermittelt ein weiterer Choral, »Seid froh dieweil,/Daß euer Heil/Ist hie ein Gott und auch ein Mensch geboren« (Satz 35), als Ruf an die Menschen auf. Es ist zu bemerken, daß in Leipzig zu Bachs Zeit zwar die Melodie dieses Satzes von dem Liede »Wir Christenleut han jetzund Freud« her bekannt war, nicht jedoch der Text; es ist die vierte Strophe von Christoph Runges Lied »Laßt Furcht und Pein«, das zuerst in der 5. Auflage von Johann Crügers ›Praxis pietatis melica‹ (Berlin 1653) erschienen war, aber in keinem der damals in Leipzig gebräuchlichen Gesangbüchern steht. Woher die Strophe bei der Zusammenstellung des Textes vom Weihnachts-Oratorium entnommen wurde, wissen wir bis jetzt nicht, ob etwa aus einer späteren Ausgabe von Crügers Gesangbuch oder vielleicht auch aus einem zeitgenössischen Andachtsbuch. Wenn jedoch im Weihnachts-Oratorium überhaupt auswärtige Gesangbücher zuhilfe genommen wurden, dann spricht dies für eine sorgsame Erarbeitung der textlichen Grundlage. – Der Choralsatz »Seid froh dieweil« weist sich durch eine besondere Fülle von Durchgangsnoten, insonderheit von der zweiten Zeile an (Takt 4ff.), aus. Doch bereits ganz am Anfang erscheint im Baß und im Continuo eine charakteristische Sechzehntelfigur beim Worte »froh« und lockert dort schon die Gestalt eines

8
Herr und Christ in Da - vids Stadt, von
Herr_ und_ Christ in_ Da - vids_ Stadt, von_
Va.
Herr und Christ in Da - vids Stadt, von
Herr_ und_ Christ in_ Da - vids_ Stadt, von_
70
vie - len aus - er - ko - - ren.
Viol.II
vie - len aus - er - ko - - ren.
vie - len_ aus - er - ko - - ren.
vie - len_ aus - er - ko - - ren.

schlichten Kantionalsatzes auf. Von Takt 4 an aber ergibt sich eine zunehmende Intensivierung der musikalischen Gestaltung, die ihren Höhepunkt in den drei letzten Takten erreicht. Hier wendet Bach mit größtem Nachdruck die Redefigur der Gradatio – bedeutungsgleich ist damit die Bezeichnung Climax = Leiter – an, bei der zwei oder zweimal zwei in Terzen oder Dezimen geführte Stimmen in komplementärer Rhythmik stufenweise (gradus bedeutet Schritt) chromatisch aufwärts geführt werden; diese Satzweise erfolgt hier durch ausholendes Anspringen des nächsthöheren Tones noch besonders wirksam. Bach hat dieses Verfahren in Takt 9–11 mit höchster Steigerung, wie das Notenbeispiel (siehe Seite 91) zeigt, ausgeführt. Man kann hier von einem auskomponierten Crescendo sprechen, das am Ende des Satzes zu einer außerordentlichen Klangentfaltung führt. Tatsächlich wurde in der Theorie der Redefiguren die Anwendung der Gradatio vor allem für den Abschluß einer Komposition gelehrt. Bach hat offensichtlich dem Ende der eigentlichen Weihnachtsgeschichte besonderen Nachdruck verleihen wollen. Daran schließt sich dann die Wiederholung des Eingangschores völlig organisch an.

Teil IV

In mancher Hinsicht steht Teil IV im Gesamtablauf des Weihnachts-Oratoriums für sich, ohne allerdings aus dessen Rahmen zu fallen: Zunächst durch die Kürze des nur aus einem einzigen Vers bestehenden Evangeliums vom Neujahrstage, das weder mit der Weinachtsgeschichte (Lukas 2) noch mit der Geschichte von den drei Weisen aus dem Morgenlande (Matthäus 2) in direktem Zusammenhang steht, sodann durch den daraus sich ergebenden gänzlich abweichenden Aufbau und schließlich durch die nur hier erfolgte Verwendung von Waldhörnern in *F*, was eine andere Tonarten-Ordnung zur Folge hatte. Trotz der Kürze des zu Grunde liegenden Evangeliums ist Teil IV dennoch ein reguläres Glied des Oratoriums mit einem Rahmen von Eingangschor und konzertantem Schlußchoral, in dem zwar das dramatische Element zurücktritt, aber jedenfalls sämtliche zum Oratorium gehörenden Satzarten vorkommen.

In Bachs autographer Partitur wird der Neujahrstag wie s. Z. üblich »Festum circumcisionis«, d.h. Fest der Beschneidung, genannt (in der 1707 in Leipzig erschienenen sächsischen Agende heißt es »Neuen-Jahrs Tag oder Fest der Beschneidung«). Jedoch nicht die im Judentum seit dem Alten Testament geltende kultische Vorschrift, die acht Tage nach der Geburt an dem Jesusknaben vollzogen wurde, wovon das Evangelium Lukas 2, 21 berichtet, ist für den Text von Teil IV des Weihnachts-Oratoriums wichtig und auch nicht eine Bezugnahme auf den Jahresbeginn, obwohl dieser in Leipzig damals festlich begangen wurde (von Bach sind fünf dafür komponierte Kantaten bekannt), sondern allein die mit der Beschneidung verbundene Namensgebung; denn der Name Jesus, der vorherbestimmt war (»welcher genennet war von dem Engel«, vgl. Lukas 1, 31), hat Symbolcharakter. Er ist im Weihnachts-Oratorium gleichbedeutend mit Immanuel, was »Gott mit uns« heißt, während der ursprüngliche Wortsinn »der Herr hilft« ist, was jedoch auf das gleiche hinausläuft. Daher ergibt sich, daß der gesamte Teil IV, ohne daß die dramatische Seite völlig ausgeschaltet ist, eine Meditation über den Namen Jesus und ein Lobpreis dieses Namens ist. Die fehlende Berücksichtigung des Neujahrstages aber war eine Folge des Traditionszusammenhanges unseres Oratoriums mit der älteren weihnachtlichen Historienkomposition;

denn in dieser wurde des Jahresbeginns selbstverständlich ebenfalls nicht gedacht.

Obwohl im Teil IV der Evangelist nur ein einziges Mal und dabei auch nur, wie gesagt, mit einem einzigen Vers (Lukas 2, 21) hervortritt, hat dieser Teil dennoch eine klare symmetrische Struktur, die nicht nur durch den gleichbesetzten Rahmen, sondern darüber hinaus durch die zentrale Stellung der sogenannten Echo-Arie »Flößt, mein Heiland, flößt dein Namen« (Satz 39) bestimmt ist; diese Arie aber ist ihrerseits noch einmal durch ein, von ihr nur unterbrochenes, Accompagnato-Rezitativ in Kombination mit einer »Aria«, einem geistlichen Sololied, eingerahmt.

Im originalen Textbuch ist die Folge der Sätze vom Inhalt her gesehen etwas genauer wiedergegeben als in Bachs autographer Partitur und demzufolge auch in den ausgeschriebenen originalen Stimmen. Dort ist nämlich nicht der ganze Satz 38 mit »Recitativo con Chorale« überschrieben, sondern untergeteilt. Über dem ersten Abschnitt dieses Satzes, der bis zu der Zeile »Mein Jesus labet Herz und Brust« reicht und in dem – im engen Anschluß an das kurze Evangelium – ausschließlich bekenntnishafte Aussagen zu dem Namen »Jesus« gemacht werden, steht lediglich »Recit«, und erst dort, wo im Text ein Einschnitt ist, wo er nämlich in ein Gebet übergeht und das Lied »Jesu, du mein liebstes Leben« dazutritt, folgt als neue Überschrift »Recitativo con Chorale«, die dann auch über der Fortsetzung bei Satz 40 steht (vgl. Abbildung S. 100f.). Bach hatte freilich einen Grund, den Satz 38 nicht als zwei Sätze anzusehen, sind sie doch ohne Übergang so miteinander verschränkt, daß sie wie eine Einheit erscheinen. Benennen wir trotzdem die beiden Teile als 38a und 38b, dann ergibt sich für den Teil IV folgender streng symmetrischer Aufriß (siehe S. 95).

Der Text vom Eingangschor ist eine Aufforderung zum Loben und Danken für die Erscheinung des Heilandes auf Erden. Wenn Bach bei der Planung des Oratoriums vor der Frage gestanden hat, wo er sinnvollerweise den mit Hörnern besetzten Eingangschor des Dramma per Musica ›Hercules am Scheidewege‹ (BWV 213,1) wiederverwenden könnte, dann konnte sich dafür gewiß keine bessere Möglichkeit bieten als die ausgeführte. Auch die Hörner verleihen, wo immer sie eingesetzt werden, dem betreffenden Stück einen festlichen Glanz, aber doch nicht einen so strahlenden, wie es drei Trompeten in Verbindung mit Pauken tun. Zum Festum circumcisionis aber paßte eine etwas

Teil IV

36. Chor: Fallt mit Danken, fallt mit Loben
Tutti mit zwei F-Hörnern; F-dur, $\frac{3}{8}$-Takt

37. Evangelist: Und da acht Tage um waren

38a. Begleitetes Rezitativ: Immanuel, o süßes Wort
Baß, Streichinstrumente, Bc.; d-moll → F-dur, $\frac{4}{4}$-Takt

38b. Begleitetes Rezitativ: Komm! Ich will dich mit Lust umfassen
mit
Choral: Jesu, du mein liebstes Leben
Baß, Sopran, Streichinstrumente, Bc.; F-dur → C-dur, $\frac{4}{4}$-Takt

42. Choral: Jesus richte mein Beginnen
Tutti mit zwei F-Hörnern; F-dur, $\frac{3}{4}$-Takt

41. Arie: Ich will nur dir zu Ehren leben
Tenor, Violine I solo, Violine II solo, Bc.; d-moll, $\frac{4}{4}$-Takt

40. Begleitetes Rezitativ: Wohlan! Dein Name soll allein
mit
Choral: Jesu, meine Freud und Wonne
Baß, Sopran, Streichinstrumente, Bc.; C-dur → F-dur, $\frac{4}{4}$-Takt

39. Arie: Flößt, mein Heiland, flößt dein Namen
Sopran, Echo-Sopran, Oboe I solo, Bc.; C-dur, $\frac{6}{8}$-Takt

Beginn von Teil IV des Weihnachts-Oratoriums.

verhaltenere Festlichkeit mehr als zu den Eckpfeilern der Weihnachtsgeschichte und zum Abschluß des Oratoriums. Dem entspricht auch der nur teilweise polyphon aufgelockerte, in zahlreichen Takten mehr liedhaft-homophone Chorsatz, der jedoch wie die Eingangschöre von Teil I und III in ein Instrumentalkonzert eingebaut ist und wie jene im $\frac{3}{8}$-Takt steht. – Die Da capo-Anlage des Chores A–B–A ist spiegelbildlich durchgeführt: die variierte Wiederholung von Abschnitt A setzt in Takt 161 sogleich mit dem um acht Takte erweiterten Chor ein und endet, umgekehrt wie zu Beginn, mit der (um acht Takte verkürzten) instrumentalen Einleitung. Der Chor ist also in sich noch wieder axialsymmetrisch angelegt. Während der Rahmen die Aufforderung zum Loben und Danken ausspricht, gibt der Mittelteil im Abschnitt B mit den Worten »Gottes Sohn/Will auf Erden/Heiland und Erlöser werden,/Gottes Sohn/Dämpft der Feinde Wut und Toben« mit einer verkündigenden Aussage die Begründung. Dieser zweimal durchgeführte Teil B (die zweite Durchführung als Variation der ersten) ist im zweimaligen Wechsel von Instrumental- und Vokalsatz genau gegliedert, wie überhaupt Bach den ganzen Satz besonders streng proportioniert hat. Das zeigt die folgende Skizze mit der Aufteilung von je 80 Takten auf jeden Abschnitt:

A	B		A
	a	b	
Vorspiel – Chor	Zwischenspiel – Chor	Zwischenspiel – Chor	Chor – Nachspiel
24 – 56	16 – 24	16 – 24	64 – 16
80	80		80

Wüßten wir nicht, daß die weltliche Vorlage BWV 213, 1 völlig gleich angelegt ist, oder wäre uns bekannt, daß Bach dem Dramma per Musica im Hinblick auf seine spätere Verwendung im Weihnachts-Oratorium diese Gestalt gegeben hat, dann dürften wir hier wohl einen zahlensymbolischen Sinn vermuten. So aber gehört der Chor »Fallt mit Danken, fallt mit Loben« zu den Wunderwerken des formalen Ordnungssinnes in Bachs Schaffen; als solcher ist er ein Spiegel des göttlichen Schöpfungskosmos und somit ein Lob des Schöpfers. Allein durch seine Gestalt stellt dieser Chor göttliche Verherrlichung dar und sollte im Zeitalter des Barock auch so verstanden werden. (Alfred Dürr hat ähnliche, wenn auch nicht so kunstvollkonsequent durchgeführte Ordnungen in den Eingangschören von Teil I, III, V und VI festgestellt; siehe bei ihm Seite 35–38).

Im anschließenden Evangelisten-Rezitativ (Satz 37) sind die beiden Worte, auf die es Bach in dem kurzen Text ankommt, nämlich »Name« und »Jesus« unüberhörbar hervorgehoben. In der Dichtung des nun folgenden, vom Baß gesungenen und von Violine I, II und Viola begleiteten Rezitativs (Satz 38a) wird bekenntnishaft alles, was der Name »Jesus« (= Gott hilft) und das bedeutungsgleiche Wort »Immanuel« (= Gott mit uns) in sich schließt, ausgesprochen. Diese Bekenntnisse sind freilich alles andere als lehrhaft, sondern voller Inbrunst. Die tief empfundene Frömmigkeit, wie sie in der Zeit der späteren protestantischen Orthodoxie, die sich mit den Anfängen des Pietismus überschneidet, vielfach begegnet, finden in diesem Rezitativ wie auch in den folgenden Sätzen ihren stärksten Ausdruck im Rahmen des Weihnachts-Oratoriums. Noch einmal begegnet hier das eigentümliche Bild »Mein Jesus labet Herz und Brust«, das bereits in der Arie »Schlafe, mein Liebster« (Teil II, Satz 19) im umgekehrten Sinne vorkam. Daß es sich bei einem solchen Text nicht um mystische Schwärmerei handelt, beweist die Arie »Ich will nur dir zu Ehren leben« (Satz 41).

Mit Takt 9 beginnt das eigentliche »Recitativo con Chorale« (Satz 38b). Man mag sich wundern, daß dieses Gebet – ein Gelöbnis unverbrüchlicher Treue zu Jesus – so betont auf Tod und Sterben bezogen ist (» ... Auch in dem Sterben sollst du mir/Das Allerliebste sein;/In Not, Gefahr und Ungemach/Seh ich dir sehnlichst nach ...«). Zwar muß bedacht werden, daß in früherer Zeit bei ständig größerer Lebensgefährdung und demzufolge geringerer Lebenserwartung das menschliche Denken stets in ganz anderem Maß auf den Tod bezogen war, als es heute der Fall ist, und es darf vor allem nicht übersehen werden, daß daher der Tod um so mehr Schuld bewußt gemacht und an das göttliche Gericht gemahnt hat, weil »der Tod der Sünde Sold« ist (Römer 6, 23). Dennoch liegt die Annahme nahe, daß der Dichter hier nicht ein allgemein christliches Bewußtsein zum Ausdruck bringen wollte, sondern daß ihm bei diesen Versen die Gestalt des greisen Simeon vor Augen gestanden hat; denn von ihm wird ja in den Versen 25 und 26 aus Lukas 2 im Anschluß an die Geschichte von Christi Geburt berichtet, daß er auf den Trost Israels gewartet habe und daß »ihm war eine Antwort geworden von dem heiligen Geist, er sollte den Tod nicht sehen, er hätte zuvor den Christus des Herrn gesehen«. In der gottesdienstlichen Leseordnung gehörte dieses Evangelium freilich zum Tag Mariä Reinigung (2. Februar); das aber schließt gewiß nicht aus, daß es in die Dichtung vom Weihnachts-Oratorium mit eingeflossen ist, endet doch z. B. die Weihnachts-Historie von Rogier Michael (1602) mit dem Lobgesang des Simeon »Herr, nun lässest du deinen Diener im Frieden fahren« im Anschluß an die Geschichte von den drei Weisen aus dem Morgenlande, und in das erwähnte Oratorium von Johann Christoph Friedrich Bach ist die Simeon-Geschichte sogar vollständig mit einbezogen. Von unserer Annahme, daß sich hinter den Worten vom ganzen Satz 38 die Gestalt des Simeon verbirgt, mag sich nicht nur seine Zuteilung auf die Stimme des Basses erklären, sondern vor allem auch der Text »Ich will dich mit Lust umfassen,/Mein Herze soll dich nimmer lassen,/Ach! So nimm mich zu dir!«. Denn in diesen Versen klingt offensichtlich Lukas 2, 28 mit dem anschließenden Lobgesang des Simeon Vers 29 an: »Da nahm er ihn auf seine Arme und lobte Gott und sprach: Herr, nun lässest du deinen Diener im Frieden fahren ...« Aber auch von der Gestalt des Simeon gilt im Weihnachts-Oratorium das gleiche wie von der der Maria: sie ist Sinnbild eines Glaubenszeugen, dem durch die Erscheinung des Heilandes die Schrecken des Todes genommen sind.

Mit diesem Gebet in Satz 38b ist die erste Strophe von Johann Rists Dichtung »Jesu, du mein liebstes Leben« kombiniert. Sie ist der gleichen Sammlung wie »Ermuntre dich, mein schwacher Geist« entnommen (siehe Seite 58) und mit ›Loblied von der herzlichen Liebe und den unaussprechlichen Wohltaten unseres Herrn und Heilandes Jesu Christi‹ überschrieben, und wie jene hatte sie bald weite Verbreitung gefunden; auch in den in Leipzig zu Bachs Zeit benutzten Gesangbüchern steht das Lied. Bach gebrauchte jedoch nicht die bei diesem Lied verwendete Melodie – es war die heute in Verbindung mit Paul Gerhardts »Sollt ich meinem Gott nicht singen« bekannte von Johann Schop –, sondern er schuf eigens für das Weihnachts-Oratorium eine neue. Dafür daß diese von ihm selbst stammt, liegt zwar kein ausdrücklicher Beweis vor, es ergibt sich aber zwangsläufig aus dem dialogisierenden musikalischen Zusammenhang mit der Baßstimme. Es ist nun bemerkenswert, daß es sich bei dieser eigenen Vertonung nicht um eine Gemeindeliedweise handelt, sondern um eine kunstvolle »Aria«, also um eine Melodie jener Liedgattung, die für die Frömmigkeitsbewegung im Spätbarock mit ihrer empfindungsvollen Innigkeit so charakteristisch ist, um eine Vertonung, die als Sololied vor allem

Mein JEsus heißt mein Leben,
Mein JEsus hat sich mir ergeben;
Mein JEsus soll mir immerfort
Vor meinen Augen schweben.
Mein JEsus heisset meine Lust,
Mein JEsus labet Hertz und Brust.

Choral und Recitat.

JEsu du mein liebstes Leben
Komm ich will dich mit Lust umfangen,
Meiner Seelen Bräutigam
Mein Hertze soll dich nimmer lassen,
Der du dich vor mich gegeben
Ach so nimm mich zu Dir,
An des bittern Creutzes Stamm,
Auch in dem Sterben sollst du mir
Das allerliebste seyn.
In Noth, Gefahr und Ungemach,
Seh ich Dir sehnlichst nach.
Was jaget mir zuletzt der Tod für Trauren ein?
Mein JEsus, wenn ich sterbe,
So weiß ich, daß ich nicht verderbe.
Dein Nahme steht in mir geschrieben,
Der hat des Todes Furcht vertrieben.

ARIA.

Flößt, mein Heyland, flößt dem Nahmen
Auch den allerkleinsten Saamen
Jenes strengen Schreckens ein?
Nein, du sagst ja! selber nein. - Nein.
Sollt ich nun das Sterben scheuen?
Nein:

Text aus Teil IV nach dem gedruckten Textbuch.

Nein: dein süsses Wort ist da
Oder sollt ich mich erfreuen;
Ja du Heyland sprichst selbst ja. Ja.

Recit. und Choral.

Wohlan, Dein Nahme soll allein
JEsu, meine Freud und Wonne,
Meine Hoffnung, Schatz und Theil,
In meinem Hertzen seyn.
Mein Erlösung, Schmuck und Heyl,
Hirt und König, Licht und Sonne.
So will ich Dich entzücket nennen,
Wenn Brust und Hertz zu Dir vor Liebe brennen.
Doch Liebster sage mir
Ach wie soll ich würdiglich
Mein HErr JEsu preisen Dich,
Wie rühm ich Dich? wie danck ich Dir?

ARIA.

Ich will nur Dir zu Ehren leben,
Mein Heyland giebt mir Krafft und Muth,
Daß es mein Hertz recht eifrig thut.
Stärcke mich
Deine Gnade würdiglich
Und mit Dancken zu erheben.
Da Capo.

Choral.

JEsus richte mein Beginnen,
JEsus bleibe stets bey mir!
JEsus

für die Hausandacht bestimmt war. In den Zusammenhang der Accompagnato-Rezitative von Satz 38b und 40 hätte ganz gewiß keine Gemeindeliedweise gepaßt; denn deren Text ist voller Innigkeit und tiefer Empfindung.

Über dem Beginn des Satzes 38b steht beim Übergang von Takt 9 zu Takt 10 »a tempo arioso«; damit ist nicht nur ein streng gemessener Rhythmus gegenüber der freieren Wiedergabe des Rezitativs gemeint (der Continuo geht hier von Stützakkorden zu genau phrasierten, schreitenden Achteln über), sondern gewiß auch ein ruhigeres Zeitmaß, das ausdrucksvoller Gestaltung volle Möglichkeit läßt. Dabei spielt die Violine I die Aria-Melodie unisono mit, und man kann annehmen, daß um dieses empfindungsvollen Satzes wegen Streich- und nicht Holzblasinstrumente zur obligaten Begleitung gewählt worden sind. In keinem anderen Teil des Weihnachts-Oratoriums tritt die persönliche Frömmigkeitsäußerung so sehr hervor wie im vierten, insonderheit in der Mittelachse, die mit Satz 38b beginnt. Zum dritten Mal ist in diesem Satz, der in Satz 40 seine Fortsetzung findet – nach Satz 7 im Teil I und Satz 29 im Teil III – der Baß mit dem Sopran in einem Duett vereint, wobei jedesmal die göttliche Liebe gepriesen wird (»Wer will die Liebe recht erhöhn« und »Herr, dein Mitleid, dein Erbarmen«), aber an keiner anderen Stelle geschieht dies so voll innerster persönlicher Anteilnahme wie hier. Verschieden sind in den drei Duetten jedoch die latenten Personifizierungen: Waren es im Satz 7 von Teil I die göttliche Stimme und die der Kirche und im Satz 29 von Teil III die von zwei Hirten, so ist es hier neben der des Simeon die der »Gläubigen Seele«, jener Symbolgestalt, die im Bereich der geistlichen Dichtung und der Musik des 17. und frühen 18. Jahrhunderts so häufig in Erscheinung tritt. Wiederum begegnen wir hier, wie schon in den Sätzen 3 und 4 von Teil I sowie im Satz 19 von Teil II, dem Bild vom Heiland als Bräutigam, dem »Liebsten«, dessen Liebe zu seiner Braut, der »Gläubigen Seele« so groß ist, daß er sein Leben für sie hingibt. Wenn mit der Wahl der Ristschen Strophe Jesu Kreuzestod in die Betrachtung mit einbezogen wird, dann bedeutet dies eine Ausweitung des Blickes auf die Folgenschwere der Menschwerdung Gottes; denn erst bei Jesu Leiden und Sterben wird die Unermeßlichkeit von Gottes Liebe, die den Glaubenden im ewigen Gericht bestehen läßt, offenbar.

Zwischen das Stollenpaar und den Abgesang von »Jesu, du mein liebstes Leben« wird das Mittelglied von Teil IV, die Arie

»Flößt, mein Heiland, flößt dein Namen« (Satz 39), in das Recitativo con Chorale in Form einer Unterbrechung eingeschoben. Als Dialog zwischen der Gläubigen Seele und nun sogar dem Christuskind selbst, ist sie von so zentraler Bedeutung, daß sie nur im Brennpunkt von Teil IV ihren angemessenen Platz erhalten konnte. Diese sogenannte Echo-Arie – der Text der Vorlage beginnt mit den Worten »Treues Echo dieser Orten« (BWV 213, 5) – ruft bei vielen Hörern den Eindruck einer barocken Spielerei, die im Weihnachts-Oratorium nicht angebracht sei, hervor. (Philipp Spitta hat im Band 2, Seite 418, seiner Bach-Monographie den Ursprung solcher Echo-Gedichte in Friedrich von Spees ›Trutz-Nachtigal‹ von 1634 gesehen, wobei man jedoch schwerlich eine direkte Abhängigkeit annehmen kann.) Die Arie verliert freilich ihre Absonderlichkeit, sobald man erkennt, daß hier der Glaube ein Gespräch mit dem Christuskind führt. – Bereits die tonartliche Gesamtanlage von Teil IV hatte eine Transposition der Vorlage erforderlich gemacht; demzufolge ist an die Stelle der Oboe d'amore als obligates Instrument in BWV 213, 5 jetzt die Oboe getreten. Wichtiger aber ist noch die Umwandlung der ursprünglichen Alt-Arie in eine Sopran-Arie, da ja die Stimme des Kindes in der Krippe nur durch eine hohe Stimme wiedergegeben werden konnte. Es mag inkonsequent erscheinen, wenn die dialogisierende Hauptstimme nicht weiterhin der Baß aus dem vorangegangenen Rezitativ ist; denn hinter deren Text kann man sich besonders gut die Gestalt des greisen Simeon vorstellen (». . . Sollt ich nun das Sterben scheuen?«). Jedoch hat für Bach bei der Verwendung der Echo-Arie aus BWV 213 für das Wechselgespräch mit dem Christuskind keine andere Wahl bestanden. Oder steht hinter dieser Arie im Weihnachts-Oratorium die Gestalt der Prophetin Hanna, von der ebenfalls in Lukas 2 (Vers 36–38) berichtet wird, daß sie zur gleichen Stunde wie Simeon dem Heiland begegnet ist? (Lukas 2, 33–40 ist das Evangelium vom Sonntag nach Weihnachten, der im Jahre 1734 ausgefallen war.) Diese Vermutung ist ausgesprochen worden, und sie ist in der Tat nicht völlig auszuschließen, zumal die Prophetin Hanna zu den Urbildern der Gläubigen Seele gehört.

Hat man erkannt, daß es sich bei Satz 39 um ein Gespräch handelt, dann wird man die Besetzung der sogenannten Echo-Stimme mit besonderer Sorgfalt vornehmen. Sie sollte wenn irgend möglich von einem Knaben gesungen werden oder zumindest von einer knabenhaften Frauen- oder Mädchenstimme.

Eine mehrfache Besetzung verbietet sich indes absolut, es sei denn, man hat ein paar Kinder, deren Stimmen einen völlig homogenen Klang ergeben. Man bedenke auch, daß es sich hier gar nicht mehr wie in der parodierten Vorlage um eine Echo-Stimme handelt (Echo-Charakter hat allein das obligate Instrument, die Oboe, wie aus den originalen dynamischen Angaben hervorgeht), sondern um Fragen und Antworten, um Fragen der Gläubigen Seele nach der Bedeutung des Namens Jesus im Angesicht des Todes und um bestätigende und bekräftigende Antworten des Christuskindes. Dieses – gewiß eigentümliche, aber auch tiefsinnige – Zwiegespräch kann nur durch stimmliche Kontrastierung, d. h. durch Gegenüberstellung einer kräftigeren und einer zarteren Stimme verständlich werden. Man übersehe auch nicht, daß hinter jedem »Nein!« und hinter jedem »Ja!« des »Echo« – Bach hat diese Stimme zwar so bezeichnet, was sich jedoch von der Vorlage her erklärt und hier nur den Kontrast zu einer kräftigeren Stimme meinen kann – ein Ausrufungszeichen steht. Alles, was das Christuskind sagt, ist vergewissernde Bestätigung. Das wird vollends deutlich, wenn in den abschließenden Takten der dreiteiligen Arie, in Takt 61, 91 und 127, allein die Stimme des Christuskindes das »Nein!« bzw. das »Ja!« sagt.

Mit Satz 40 »Wohlan! Dein Name soll allein« wird das Recitativo con Chorale von Satz 38b fort- und zuendegeführt. Dabei knüpft lediglich der erste Takt an den Satz 38a an; denn textlich und musikalisch korrespondieren die Zeilen »Immanuel, o süßes Wort!« (Satz 38a, Takt 1) und »Wohlan! Dein Name soll allein« (Satz 40, Takt 1) miteinander. Für diesen Satz ist der Abgesang von Rists Strophe »Jesu, du mein liebstes Leben« übrig behalten, nach der Verwendung des Stollenpaares in Satz 38b. Das hat zur Folge, daß jetzt noch sechs Zeilen der insgesamt zehnzeiligen Strophenform unterzubringen waren. Während die vier Stollenzeilen im Satz 38b zusammenhängend vorgetragen werden, erfolgt in Satz 40 ein mehrfacher Wechsel zwischen Recitativo und Arioso; damit ist gemeint, daß die rezitativischen Stücke freier zu gestalten sind, während sie sich dem streng rhythmisierten Satz des Arioso anpassen, sobald der Sopran mit der Liedweise einsetzt. Auch im Abgesang von Rists Strophe mit der eigentümlichen Reimordnung a–b–b–a–c–c wird mit der Bekundung inniger Jesusliebe fortgefahren, wie es auch in dem Rezitativ geschieht. Zuletzt aber vereinen sich beide Texte in der Frage nach dem rechten Dank für Jesu Liebe:

»Wie rühm ich dich, wie dank ich dir?« und »Ach! Wie soll ich würdiglich,/Mein Herr Jesu, preisen dich?« Dabei sind die letzten Takte des Rezitativs (12ff.) durch häufige Anwendung der Figur des Tmesis, d.h. durch Pauseneinschnitte, zugleich in Verbindung mit der der Suspiratio, des Seufzers, und somit durch sehnsuchtsvoll dringliche musikalische Gestaltung gekennzeichnet:

In zwei ausklingenden instrumentalen Takten führen die Streichinstrumente mit den gleichen Figuren in demütig tiefer Tongebung den Satz zuende.

Die Folge der drei Sätze 38b–39–40 an zentraler Stelle von Teil IV, die Umklammerung der Echo-Arie durch das Recitativo con Chorale, das – wie entsprechend auch Bachs Vertonung von Rists Lied »Jesu, du mein liebstes Leben« – von *F*-dur ausgeht und am Ende von Satz 38b nach *C*-dur gelangt, der Tonart der Arie, um in Satz 40 daran wieder anzuknüpfen und schließlich am Ende dieses Satzes nach *F*-dur zurückzuführen, bildet in ihrer symmetrischen Bogenform eine einzigartige musikalische Geschlossenheit. Und wenn hier in der eigentlichen Mitte des Teiles, in der Arie, nicht wie in Teil II und, wie sich noch zeigen wird, in Teil VI, die Unterdominanttonart erscheint, sondern die der Oberdominante, hier also *C*-dur gegenüber sowohl dem Beginn und dem Ende des Recitativo wie auch des Rahmens von Teil IV (Satz 36 und 42) in *F*-dur, dann muß die zentrale Mitte gleichnishaft als leuchtende Hervorhebung verstanden werden.

Die nun folgende Arie »Ich will nur dir zu Ehren leben« (Satz 41) beantwortet die Fragen, mit denen Satz 40 geendet hat: Die Antwort bezeugt das Wissen darum, daß rechter Dank und rechtes Gotteslob gleichbedeutend sind mit einem Leben zu Gottes Ehren und daß dieses nur durch göttliche Hilfe möglich ist; darum geht der Text bereits in der zweiten Zeile in eine Bitte über. In der Vorlage, die Bach bei dieser Da capo-Arie verwendet hat, brauchte er nur im Mittelteil einiges zu verändern und auch hier nur in den Vokalstimmen. Jedoch mußte auch dieser Satz um des tonartlichen Zusammenhanges von Teil IV wegen von *e*-moll nach *d*-moll transponiert werden. Stellt man die Texte von Vorlage und Parodie wie folgt einander gegenüber,

BWV 213, Satz 7:
Auf meinen Flügeln sollst du schweben,
Auf meinem Fittich steigest du
Den Sternen wie ein Adler zu.
Und durch mich
Soll dein Glanz und Schimmer sich
Zur Vollkommenheit erheben.

BWV 248, Teil IV, Satz 41:
Ich will nur dir zu Ehren leben,
Mein Heiland, gib mir Kraft und Mut,
Daß es mein Herz recht eifrig tut!
Stärke mich,
Deine Gnade würdiglich
Und mit Danken zu erheben!

dann erkennt man deutlich die Anlehnung der Parodie an den Text der Vorlage am Anfang und am Schluß. An die Stelle von »schweben« ist das Wort »leben« in der ersten Zeile getreten, und das letzte Wort der Strophe, den Reim auf die erste Zeile, haben beide Texte sogar gemeinsam. Nach dem empfindungsvollen Zentralstück von Teil IV, den Sätzen 38b–40, bringt diese Arie mit dem Gelöbnis, nur zu Gottes Ehre zu leben, einen Ton auflockernder Frische in den bisherigen, subjektivistisch meditativen Ablauf der Folge. Sie ist eine vierstimmige Fuge, in die alle Beteiligten, der Tenor, die beiden obligaten Violinen und auch der Continuo mit einbezogen sind. (Alfred Dürr hat auch diesen Satz eingehender beschrieben, vgl. Seite 33f. seiner Schrift.)

Die Arie leitet zum Schlußchoral »Jesus richte mein Beginnen« (Satz 42) über, dessen Text wiederum einem Lied von Johann Rist, »Hilf, Herr Jesu, laß gelingen«, entnommen ist und wie die Strophen »Brich an, du schönes Morgenlicht« im Teil I (Satz 12) und »Jesu, du mein liebstes Leben« in diesem

Teil aus der Sammlung ›Himmlische Lieder‹ (Lüneburg 1641/42) stammt. Alle drei Lieder stehen in den von Bach benutzten Leipziger Gesangbüchern, »Hilf, Herr Jesu, laß gelingen« in der Originalausgabe mit der Überschrift »Gottseliger Anfang des neuen Jahres in und mit dem allersüßesten Namen Jesu«. Somit trägt Teil IV doch schließlich auch dem Neujahrstage etwas Rechnung, aber nur mehr formal durch die Einbeziehung einer Strophe aus einem Neujahrsliede, die jedoch keinen speziellen Neujahrsbezug hat, sondern allgemein im Optativ von Jesu Bedeutung für das persönliche Leben spricht; dabei rückt die bereits in der vorangegangenen Arie angeklungene ethische Bedeutung der Verbundenheit mit Jesus nun noch stärker in den Vordergrund. Abweichend sowohl von Rists Original als auch vom Wortlaut der Leipziger Gesangbücher und sogar vom gedruckten Textbuch des Weihnachts-Oratoriums steht in Bachs autographer Partitur und auch in den originalen Stimmen in der letzten Zeile statt »Jesus lasse mich nie wanken«: »Jesu, lasse mich nicht wanken«. Man kann sich schlecht vorstellen, daß diese Abweichung nur auf einem Versehen beruht. Vielleicht kannte sie Bach aus irgendeinem anderen Gesangbuch, vielleicht aber hat er auch selbst diese Änderung vorgenommen, um mit der Gebetsform dem Abschluß der Strophe und damit zugleich dem Teil IV einen größeren Nachdruck zu verleihen. Rist selbst hat schon der letzten Zeile in seiner Dichtung dadurch ein besonderes Gewicht gegeben, daß er von dem Wechsel zwischen acht- und siebensilbigen Zeilen in der Strophenform abgegangen ist und am Ende zwei achtsilbige Zeilen aufeinander folgen läßt.

Von den verschiedenen Melodien, nach denen das Lied vielerorts damals gesungen wurde, hat Bach keine verwendet; er brauchte für den Rahmen von Teil IV eine Durweise, was in keinem anderen Fall zutraf. So müssen wir auch die Weise dieses Schlußchorals, da sie ebenfalls nicht in Verbindung mit einem anderen Lied begegnet wie die von »Jesu, du mein liebstes Leben«, als eine Schöpfung Bachs ansehen, zumal sie auch nicht den Charakter einer Gemeindeliedweise hat. Diese Feststellung ist insofern nicht ohne Bedeutung, da somit also im gesamten Teil IV des Weihnachts-Oratoriums, im Unterschied zu sämtlichen anderen Teilen, keine der damals gebräuchlichen Kirchenliedmelodien vorkommt. Allerdings hat Bach seiner Melodie zu »Jesus richte mein Beginnen« nicht das Gepräge einer »Aria« wie bei »Jesu, du mein liebstes Leben«, sondern – man könnte sagen – das einer stilisierten, ausdruckshaft gesteigerten Gemeindeliedweise gegeben.

Der musikalischen Einkleidung nach steht dieser Schlußchoral denen der beiden ersten Teile nahe, bei denen wir die kurzen instrumentalen Zeilenzwischenspiele als auskomponierte Fermaten bezeichnet haben. Im Unterschied zu jenen Sätzen beginnt dieser jedoch nicht mit dem Choreinsatz, sondern mit einer instrumentalen Einleitung von vier Takten, und auch die Zeilenzwischenspiele und das Nachspiel umfassen hier jeweils vier Takte gegenüber zwei in den anderen beiden Schlußchorälen. Damit hat der Choralsatz »Jesus richte mein Beginnen« einen stärkeren Abschlußcharakter, als ihn die Teile I und II haben, und auch dies ist ein Zeichen für die Sonderstellung von Teil IV im Gesamtzusammenhang des Weihnachts-Oratoriums.

Für die Wiedergabe dieses Satzes mit seinem ausdrucksvollen Cantus firmus muß man beachten, daß ihn Bach im Unterschied zum $\frac{3}{8}$-Takt des Eingangschores im $\frac{3}{4}$-Takt notiert hat; das besagt, daß drei Achtel des Satzes 36 etwa tempogleich mit einem Viertel dieses Schlußchorals sind und daß dieser daher in einer gemessenen Breite zu musizieren ist. Nur so wird er das Gewicht erhalten, das er an dieser Stelle hat.

Teil V

Den Teilen V und VI liegt die Geschichte von den drei Weisen aus dem Morgenlande, Matthäus 2, 1–12, zu Grunde, davon Teil V die Verse 1–6, die von ihrer Ankunft in Jerusalem und der Erkundigung nach dem Ort der Geburt des »neugebornen Königs der Jüden« berichten. Dieser Text ist in zwei Abschnitte untergliedert, wobei Vers 1–2 und Vers 3–6 zusammengefaßt sind, so daß sich folgender Aufbau dieses Teils ergibt (siehe Skizze auf Seite 111). Beide Evangelisten-Rezitative sind – dies ist eine Besonderheit von Teil V – mit einem begleiteten Rezitativ verschränkt, das in der ersten Hälfte zudem mit dem Chor der Weisen kombiniert ist. Wie die Aufbauskizze zeigt, weichen beide Hälften in der Folge der Satzarten deutlich voneinander ab; in der zweiten fehlt der Choral, der erst am Schluß steht und mit dem Eingangschor den Rahmen bildet. Die Instrumentierung dieses Teils ist auf zwei Oboen d'amore außer den Streichinstrumenten und dem Continuo beschränkt und stellt somit die kleinste Besetzung im ganzen Oratorium dar, und auch ein einfacher Schlußchoral kommt nur hier vor. Möglicherweise hat Bach diese Maßnahmen im Hinblick auf den Charakter des Sonntags nach Neujahr, der als gewöhnlicher Sonntag begangen wurde – für ihn war ja Teil V bestimmt –, getroffen. Diese Feststellungen besagen natürlich nicht, daß dieser Teil im Gesamtablauf des Oratoriums eine geringere Bedeutung hat; vielmehr liegt eine gewisse Entsprechung zum Teil II vor, der neben Teil I und Teil III ebenfalls geringer besetzt ist (in ihm schweigen wie in Teil V die Trompeten). Dies alles hängt mit der Grundtonarten-Ordnung der inhaltlich enger zusammengehörenden Teile I–III sowie V und VI zusammen, die in Kadenzbeziehung zueinander stehen: *D – G – D – A – D*. Und so sinnvoll die Grundtonart der Unterdominante *G*-dur als Hinweis der Erniedrigung Gottes in Teil II ist, so in Teil V die Oberdominante *A*-dur im Hinblick auf das Licht, das der Welt erschienen ist.

In dem großartigen, mit »Vivace« gekennzeichneten Eingangschor »Ehre sei dir, Gott, gesungen« (Satz 43), der als Da capo (A–B–A) gestaltet ist, kommen auf den umfangreichen, zudem noch zweimal durchgeführten Abschnitt A mit 98 Takten (ohne das Da capo) lediglich zwei Textzeilen: »Ehre sei dir,

Gott, gesungen,/Dir sei Lob und Dank bereit'«. Dagegen werden für die fünf übrigen Zeilen nur 29 Takte verwendet. Dieser Mittelteil B, der ebenfalls zweimal durchgeführt wird, bei der Wiederholung variiert, besteht lediglich aus Choreinwürfen und instrumentalen Zeilenzwischenspielen, als handele es sich um eine Art Choralsatz; dabei werden die drei letzten Zeilen zu zweien zusammengefaßt und mit den Instrumenten vereint. Auf Seite 13 war darauf hingewiesen worden, daß Bach bei diesem Chor offensichtlich zuerst die Absicht gehabt hat, den Schlußchor von BWV 213 »Lust der Völker, Lust der Deinen« wiederzuverwenden; denn die Texte beider Sätze haben die folgende ungewöhnliche Strophenform mit dem Silbenschema: 8 – 7 – 7 – 7 – 3 – 8 – 10. Die letzte Zeile steht mit ihrer Silbenzahl wie die dreisilbige Kurzzeile für sich und ist außerdem daktylisch, während die Strophe sonst durchweg trochäisch ist. Diese Ausnahme erklärt sich aus dem Inhalt der Glückwunschkantate, während sie im Text der Parodie unmotiviert erscheint, wie die Gegenüberstellung beider Strophen zeigt:

Lust der Völker, Lust der Deinen,
Blühe, holder Friederich!
Deiner Tugend Würdigkeit
Stehet schon der Glanz bereit,
Und die Zeit
Ist begierig zu erscheinen:
Eile, mein Friedrich, sie wartet auf dich!

Ehre sei dir, Gott, gesungen,
Dir sei Lob und Dank bereit'.
Dich erhebet alle Welt,
Weil dir unser Wohl gefällt,
Weil anheut
Unser aller Wunsch gelungen,
Weil uns dein Segen so herrlich erfreut.

Der Daktylus der letzten Zeile von BWV 213, 13, der ein Doppelpunkt vorausgeht, ist begründet durch den Ruf zur Eile. Daß dieser Wechsel im Metrum der Strophe beim Satz 1 von Teil V seinen Sinn verloren hat, zeigt das veränderte Reimschema:

BWV 213, 13:	a – b – c – c – c – a – b (mit Binnenreim)
Teil V, 1:	a – b – c – c – b – a – b (ohne Binnenreim)

Teil V

43. Chor: Ehre sei dir, Gott, gesungen
Oboe d'amore I und II, Streichinstrumente;
A-dur, $\frac{3}{4}$-Takt

44. Evangelist: Da Jesus geboren war zu Bethlehem
45. Chor und begleitetes Rezitativ: Wo ist der neugeborne König der Jüden
und
Sucht ihn in meiner Brust
Alt, Oboe d'amore I und II, Streichinstrumente, Bc.;
h-moll → Cis-dur, $\frac{4}{4}$-Takt

46. Choral: Dein Glanz all Finsternis verzehrt
Oboe d'amore I und II, Streichinstrumente; A-dur,
$\frac{4}{2}$-Takt

47. Arie: Erleucht auch meine finstre Sinnen
Baß, Oboe d'amore I solo, Bc.; fis-moll, $\frac{2}{4}$-Takt

53. Choral: Zwar ist solche Herzensstube
Oboe d'amore I und II, Streichinstrumente; A-dur,
$\frac{3}{4}$-Takt

52. Begleitetes Rezitativ: Mein Liebster herrschet schon
Alt, Oboe d'amore I und II, Bc.; A-dur, $\frac{4}{4}$-Takt
51. Terzett: Ach, wenn wird die Zeit erscheinen
Sopran, Tenor sowie Alt, Violine solo, Bc.; h-moll, $\frac{2}{4}$-Takt

50. Evangelist: Und ließ versammlen alle Hohepriester
49. Begleitetes Rezitativ: Warum wollt ihr erschrecken
Alt, Streichinstrumente, Bc.; cis-moll → E-dur, $\frac{4}{4}$-Takt
48. Evangelist: Da das der König Herodes hörte

Man erkennt an dieser Gegenüberstellung, daß die Parodie hinter der Konsequenz der metrischen Ordnung der Vorlage zurückbleibt; auch der sächsische Reim in den Zeilen 2, 5 und 7 ist eine Verschlechterung. Bach hat aber eine rechte Folgerung aus der Veränderung gezogen, wenn er die Zeile 7 im Weihnachts-Oratorium nicht wie in BWV 213, 13 musikalisch für sich behandelt, sondern mit den Zeilen 5 und 6 zusammengefaßt hat. Infolge der gedrängten Kürze des Mittelteils B ist der Teil A in dem Satz völlig beherrschend; sein Umfang verhält sich (einschließlich der Wiederholung) zu Teil B wie reichlich 6 : 1. Jeder der beiden Abschnitte dieses Teils beginnt nach einem instrumentalen Vor- bzw. Zwischenspiel mit einem fast homophonen Vokalsatz, der in eine nicht streng durchgeführte Fuge übergeht (vgl. Takt 31 und 75). Die Reihenfolge der einsetzenden Stimmen ist, wie bei Bach häufig, zuerst Tenor – Alt – Sopran – Baß (Takt 31 ff.) und sodann Baß – Tenor – Alt – Sopran (Takt 75 ff.). Besonders eindrucksvoll ist das Zusammengehen des Continuo mit dem Baß des Chores zum Abschluß der beiden Abschnitte in Takt 51 ff. und 91 ff., wobei jeweils ein Oktavraum durchschritten wird; in Takt 52 und Takt 96 erfolgt noch eine zusätzliche Erhöhung durch Dezimenparallelen zwischen Sopran bzw. Alt und Baß, gepaart mit Sechzehntelfiguren der Violine I bzw. II (siehe Notenbeispiel S. 114 f.). Diese Satzweise, die der Continuo allein bereits im instrumentalen Vorspiel vorweggenommen hat (Takt 15 ff.), entspricht genau der von Takt 1 ff. und 49 ff. im Chor »Ehre sei Gott in der Höhe« aus Teil II (siehe Seite 68) und versinnbildlicht ebenso wie jene die Totalität Gottes. Auch sonst gleicht der Continuo mit seinen unentwegt großen Tonbewegungen in – häufig gebrochene Akkorde durchschreitenden – Achteln auffallend dem Gloria-Chor in Teil II, trotz des $\frac{3}{4}$-Taktes hier und des Alla breve-Rhythmus in jenem. Nimmt man schließlich noch die instrumentale Einleitung und deren verkürzte Wiederaufnahme in verschiedenen Zwischentakten mit dem fröhlichen Wechselspiel der Oboen d'amore und der Streichinstrumente wahr, dann darf man wohl sagen, daß Bach bei dieser Originalkomposition für das Weihnachts-Oratorium eine seiner schönsten Eingebungen hatte. Wenn dieser im $\frac{3}{4}$-Takt stehende Satz von Bach in der Continuo-Stimme mit einem »vivace« versehen worden ist, dann besagt dies die Annahme eines zügigen Zeitmaßes, für das man etwa ♩ = 90 MM ansetzen kann.

Nach dem jubelnden Eingangschor berichtet der Evangelist

von der Ankunft der drei Weisen in Jerusalem (Satz 44). Deren Frage »Wo ist der neugeborne König der Jüden?« wird nach der Gepflogenheit der Historienkompositionen und Oratorien dem Chor zugeteilt (Satz 45). Bach hat bei ihm den Satz »Pfui dich, wie fein zerbrichst du den Tempel« aus der Markus-Passion (BWV 247), wie auf Seite 12 erwähnt wurde, wiederverwendet. In dramatischer Lebhaftigkeit erklingt in der Verbindung mit der Figur der Abruptio, d.h. in kurzen Einwürfen, viele Male das Wörtchen »Wo?«, unterstützt auf ihre Weise durch die Instrumente, vor allem durch Oktavsprünge von Oboe d'amore I und Violine I (vgl. Takt 2 und 4), und im Takt 5 gemeinsam mit dem Chor auf einem unaufgelösten Quintsextakkord mit *dis* im Baß und *fis*" im Sopran endend. An dieser Stelle werden die drei Weisen durch ein kurzes, nur von den beiden Violinen begleitetes Rezitativ des Alts mit den Worten »Sucht ihn in meiner Brust,/Hier wohnt er, mir und ihm zur Lust!« in ihrem ungestümen Fragen unterbrochen, ohne daß damit ein neuer Satz beginnt. Wieder einmal ist es die symbolische Stimme der Maria, die diese Worte als Äußerung des Glaubens einwirft, und erneut wird somit der Hörer des Werkes unvermittelt an sich selbst erinnert, daran, daß der neugeborene König allein im Glauben, im menschlichen Herzen, gegenwärtig ist.

Bereits nach drei Takten fährt der Chor der drei Weisen mit der zweiten Vershälfte »Wir haben seinen Stern gesehen im Morgenlande und sind kommen, ihn anzubeten« fort, wobei nun auch wieder die Oboen d'amore dazutreten (die Streichinstrumente hatten bei der Unterbrechung nur ein paar Aushaltetöne gespielt). Und auch zu dieser Mitteilung der Weisen erhebt Maria noch einmal ihre Stimme und preist die Suchenden glücklich: »Wohl euch, die ihr dies Licht gesehen!«; denn der Heiland ist das Licht, das der ganzen Menschheit scheinen soll. Wie hell aber muß dessen Glanz sein, wenn die Weisen ihm schon nachgehen, bevor sie nur den Heiland gesehen haben. Dieses Bekenntnis des Glaubens beendet den Satz eindrucksvoll und innig zugleich. In kurzen Notengruppen werden alle wesentlichen Worte hervorgehoben: »Mein Heiland, du – du bist das Licht«; »und sie – sie kennen dich noch nicht«; »wie hell – wie klar muß nicht dein Schein, – geliebter Jesu, sein!«

Die Worte der Maria, die hier wieder für die glaubenden Menschen spricht, wird mit der Kirchenliedstrophe »Dein Glanz all Finsternis verzehrt«, der letzten Strophe von Georg Weissels Dichtung »Nun, liebe Seel, nun ist es Zeit« (Satz 46),

51
- reit', dir sei Lob
- reit', sei Lob
- reit', dir sei Lob
Lob
7 6 7 # 6

53
tr
und Dank be - reit';
und Dank be - reit';
und Dank be - reit';
und Dank be - reit';
6 5
6
6 4
5 ♯

aufgenommen. Weissels Lied, das in seiner originalen Veröffentlichung von 1642 mit der Angabe »Am Tage der Heiligen drey Könige« versehen ist, steht in den Leipziger Gesangbüchern unter den Epiphaniasliedern, wurde dort jedoch nicht nach der ursprünglichen Weise von Johannes Eccard, sondern nach der von »In dich hab ich gehoffet, Herr« gesungen, die daher auch Bach verwendet hat. In der Strophe »Dein Glanz all Finsternis verzehrt« wird noch allgemeiner als im vorangegangenen begleiteten Rezitativ der Stern, dem die drei Weisen nachgegangen sind, gleichnishaft als der Stern, der das Dunkel im menschlichen Dasein in Licht verwandelt, verstanden; damit wird die Bitte verknüpft, daß er zum Leitstern für alle Zukunft werden möge. Auch dieser Choralsatz, der – der Sinnbildhaftigkeit des Rahmens von Teil V entsprechend (s. oben) – in *A*-dur steht, vollzieht sich in einer gewissen Nachdrücklichkeit, und die auch hier zahlreichen Zwischennoten bewirken am Ende – vor allem in den Unterstimmen – bei den Worten »ewig schauen« einen leuchtenden Höhepunkt.

Die anschließende Baß-Arie »Erleucht auch meine finstre Sinnen« (Satz 47), die folgerichtig die Thematik von Teil V, die gleichnishafte Bedeutung des Sterns von Bethlehem, weiterführt, ist vordergründig die Stimme eines der drei Weisen, aber darüber hinaus von überzeitlicher Bedeutung; denn das »Noch nicht« des Glaubens, der Zustand der »finstern Sinne«, trifft nicht nur auf die historische Situation derer, die vor der Erscheinung des Messias gelebt haben, zu, sondern auf jedes menschliche Leben zu jeder Zeit, auch auf die Christen im Sinne von Markus 9, 24 »Ich glaube, lieber Herr; hilf meinem Unglauben!«. Darum heißt es in dem Gebet der Arie existentiell vergegenwärtigend »Dein Wort« – also die Verkündigung und Predigt der Kirche – »soll mir die hellste Kerze in allen meinen Werken sein«. – Als Vorlage für die musikalische Bearbeitung dieser Arie diente aus dem Dramma per Musica »Preise dein Glücke, gesegnetes Sachsen« (BWV 215, Satz 7) die Arie »Durch die von Eifer entflammeten Waffen«. Dieses Werk war von Bach zum Jahrestag der Königswahl Augusts III. am 5. Oktober 1734 (siehe vorher Seite 12), also erst knapp drei Monate vor der Aufführung des Weihnachts-Oratoriums fertiggestellt worden. Daher drängt sich bei dieser Parodie insonderheit die Frage auf, ob für Bach beim Komponieren von BWV 215 bereits der genaue Plan der Wiederverwendung der Arie »Durch die von Eifer entflammeten Waffen« feststand.

Vergleicht man den ersten Einsatz der Vokalstimmen in beiden Arien, dann erscheint einem die Textunterlegung im Weihnachts-Oratorium besser als in BWV 215:

Die Parodiearbeit in der Arie »Erleucht auch meine finstre Sinnen«, falls man von einer solchen überhaupt sprechen kann, ist jedenfalls besonders gründlich durchgeführt und zeigt keine Spuren einer möglichen zeitlichen Bedrängnis. Bach hat die Arie nicht nur durch Transposition eine Undezime tiefer gesetzt, d. h. von einer Sopran- in eine Baß-Arie umgewandelt und anstelle von zwei Flöten und einer Oboe d'amore als Begleitinstrumente sich auf eine konzertierende Oboe d'amore beschränkt, sondern er hat vor allem die Vokalstimme sehr genau auf den neuen Text bezogen. Man erkennt dies, wenn man darauf achtet, wie deutlich die Worte »erleucht«, »Strahlen« und »hellste (Kerze in) allen (meinen Werken)«, die den Charakter der Arie bestimmen, hervorgehoben sind. Ein eingehender Vergleich von Vorlage und Parodie ist hier besonders aufschlußreich.

Die zweite Hälfte von Teil V beginnt mit dem kurzen Rezitativ des Evangelisten »Da das« – nämlich die Frage der drei Weisen in Satz 45 – »der König Herodes hörte, erschrak er und mit ihm das ganze Jerusalem« (Satz 48), in dem der unvermittelte Sprung zum *a'* beim Wort »erschrak« zu den dramatischsten Stellen des Oratoriums gehört und wirkliches Erschrecken hervorruft. Auch in diesem Satz wird wie in der ersten Hälfte des fünften Teils der biblische Bericht durch ein begleitetes Rezitativ des Alts unterbrochen, hier mit der Frage »Warum wollt ihr erschrecken?/Kann meines Jesu Gegenwart euch solche Furcht erwecken?...« (Satz 49), und abermals ist es der Alt als Urbild des Glaubens, der in einem starken Kontrast zu dem Tremolo der Streichinstrumente, dem Zittern des Herodes, in Erscheinung tritt. Dieses Gegenüber von Menschenfurcht und innerer Ruhe, aus der zugleich verhaltene Freude spricht, bedarf einer besonders sorgsamen Wiedergabe.

In Satz 50 fährt der Evangelist mit den Versen 4–6 aus Matthäus 2 fort, die das Befragen der Hohenpriester und Schriftgelehrten durch Herodes nach dem Geburtsort des Messias mitteilen. Wenn Bach deren Auskunft (Vers 5) nicht als Turba-Chor gesetzt hat, sondern vom Evangelisten wiedergeben läßt, dann tat er dies nicht, weil es ihm nicht auf Dramatik angekommen wäre, sondern fraglos, um die alttestamentliche Weissagung als göttliche Verheißung hervorzuheben. Bereits auf Seite 30 war gesagt worden, daß die prophetischen Worte aus Micha 5, Vers 1, von jeher in den Weihnachts-Historien eine besondere musikalische Behandlung erfahren haben. Dabei hat gewiß auch der Gedanke mitgespielt, diese Worte nicht durch ungläubige Schriftgelehrte, sondern eben durch den Evangelisten mitteilen zu lassen. Musikalisch geschieht die Hervorhebung der Prophetenworte dadurch, daß an dieser Stelle die freie Rezitation in einen ruhig schreitenden $\frac{4}{4}$-Takt übergeht (Bach vermerkt ausdrücklich »andante«), der vom Continuo durch gebundene $\frac{4}{8}$-Figuren getragen wird. Die alttestamentliche Prophetie erhält so den Charakter altehrwürdiger Erhabenheit.

An diese Weissagung schließt sich das Terzett »Ach, wenn wird die Zeit erscheinen« (Satz 51) an. Eine Vorlage zu diesem Stück ist bisher nicht ermittelt worden. Die Eintragung ist jedoch eine auffallend schöne Reinschrift, so daß man auch in diesem Falle mit einer Parodie rechnen müßte. Dennoch kann man sich hier kaum etwas anderes als eine Originalkomposition vorstellen; denn das Terzett gehört sowohl in der Gedankenfolge des Weihnachts-Oratoriums als auch in seiner musikalischen Bearbeitung zu den eigentümlichsten und zugleich tiefsinnigsten Sätzen des Werkes. Der vierzeilige Text ist ein Dialog. Auf die beiden Fragen »Ach, wenn wird die Zeit erscheinen?« und »Ach, wenn kömmt der Trost der Seinen?« (»wenn« ist hier gleichbedeutend mit »wann«) ergeht die Antwort: »Schweigt, er ist schon würklich hier!«. Sie wiederum ruft die Bitte hervor: »Jesu, ach so komm zu mir!«.

Wer führt diesen Dialog? Es sind die sehnsuchtsvoll suchenden Weisen aus dem Morgenlande, deren Fragen von der Mutter Maria beantwortet werden, noch bevor sie bei ihr und dem Christuskind angelangt sind. Das besagt, daß es sich auch hier um ein in die Überzeitlichkeit erhobenes, sinnbildhaftes Gespräch handelt, das allgemein menschliche Sehnsucht nach Gottes Offenbarung ausdrückt und ihre Erfüllung verkündet. Wie kleidet Bach diesen Dialog musikalisch ein? Die fragenden Stimmen sind Sopran und Tenor; sie allein sprechen im Abschnitt A (Takt 1–80, 1. Viertel) und im Abschnitt C (Takt 130–189) des dreiteiligen Terzetts die Fragen aus, wobei Abschnitt C nur ein variiertes Da capo von A ist, und nur sie allein bitten im Mittelteil (Abschnitt B, Takt 80–126, 1. Viertel) »Jesu, ach so komm zu mir!«. Die dritte beteiligte Stimme ist der Alt, dem ausschließlich die Worte »Schweigt, er ist schon würklich hier!« zugeteilt sind. Welche andere Stimme könnte dies sonst auch sagen als die der Maria, der Mutter des Glaubens! Auch dieser Satz steht im $\frac{2}{4}$-Takt und zeigt damit eine deutliche Verwandtschaft sowohl mit der Arie »Schlafe, mein Liebster« (Teil II, Satz 19) als auch ganz besonders mit der Arie »Schließe, mein Herze, dies selige Wunder« (Teil III, Satz 31), mit der sie obendrein eine konzertierende Violine als obligates Instrument verbindet (siehe Notenbeispiel auf Seite 120). Es ist das Terzett somit der dritte Satz im Weihnachts-Oratorium im Wiegenliedrhythmus; das aber besagt, daß der Hörer sich auch bei diesem Satz im Geiste zu der Krippe des Christuskindes versetzt sehen soll.

Im einzelnen ist das Terzett folgendermaßen aufgebaut: Nach einem Instrumentalvorspiel (Takt 1–20) setzen Sopran und Tenor im Abstand von vier Takten nacheinander ein, der Sopran mit der ersten Frage (»Ach, wenn wird ...«), der Tenor mit der zweiten (»Ach, wenn kömmt ...«). Erst im Takt 37 tritt der Alt mit der Mahnung »Schweigt, er ist schon würklich hier!« hinzu. Abschnitt A reicht bis zum Takt 80 einschließlich eines Nachspiels von 20 Takten, einer Variation des Vorspiels. Im nun beginnenden Abschnitt B sind lediglich Sopran und Tenor beteiligt, beide mit dem gleichen Text, mit der Bitte »Jesu, ach so komm zu mir!«; sie ist die Antwort auf den Ruf des Alts »Schweigt, er ist schon würklich hier!«. Im Takt 121 beginnt das zweite, jedoch verkürzte Zwischenspiel als Übergang zum Abschnitt C mit dem gleichen Beginn wie in Takt 1ff. und 61ff., wenn auch jeweils von einem besonderen Ton ausgehend.

In dieses zweite Zwischenspiel werfen jedoch Sopran und Tenor noch einmal ihre sehnsuchtsvolle Bitte »Jesu, ach so komm!« bzw. bloß »Ach so komm zu mir!« ein (Takt 123–126), wonach wie im Abschnitt A die Fragen wiederholt werden, jetzt jedoch in umgekehrter Folge; der Baß beginnt mit der ersten und der Sopran folgt mit der zweiten Frage (Takt 130 und 134). Und wieder tritt auch der Alt mit seiner Mahnung von Takt 146 an dazu.

Neben der Gesamtanlage sind in dem Terzett mancherlei Einzelheiten bemerkenswert, in erster Linie das musikalische Sinnzeichen, unter dem das ganze Stück steht und das sowohl zu Beginn des Instrumentalvor- sowie des -nachspiels, ferner am Anfang der beiden Zwischenspiele und schließlich der Vokaleinsätze von Sopran und Baß im Abschnitt A und C erklingt:

Darüber hinaus erscheinen die fünf ersten, die Eigenart der Figur bestimmenden Töne noch zweimal gesondert in Takt 52f.

100
Je - su, ach so komm, Je -
ach so komm zu mir,
104
- su_, ach so komm
Je - - su_, ach so

und 161f., eingeschlossen in Pausen. Der Sinn dieses aus einem Achtel mit zwei darauffolgenden Notenligaturen (♪♩‿♪♪‿♩) bestehenden Leitbildes als Ausdruck des Sehnens und Hoffens ist unüberhörbar. Er wird ergänzt durch das viele Male abgesetzte Wörtchen »ach« und zwar entweder seufzerartig durch die Figur der Suspiratio (Takt 29f. u. ö.) oder durch einzelne, isolierte Viertelnoten (Takt 40 u. ö.). Die Dringlichkeit der Fragen aber läuft bei den Worten »(er)scheinen« und »Seinen« in zuversichtlicheren Sechzehntel-Notenketten aus (Takt 55ff. und 164ff.). Auch der Mittelteil (Abschnitt B) hat mit seinen ausgedehnten Sechzehntelbewegungen bei dem Worte »komm« als Widerhall auf den Ruf des Alts einen vertrauensvolleren Unterton. Der zweiteilige Abschnitt B endet jedoch sowohl von Takt 100 bis 106 wie auch von Takt 124 bis 127 noch einmal mit der folgenden, viermal ausgesprochenen, in Pausen eingeschlossenen besonders dringlichen Bitte (siehe Notenbeispiel auf Seite 121). Zu Sopran und Tenor steht der Alt in großem Kontrast. An der Leitfigur hat er keinen Anteil; sein nachdrücklicher Ruf »schweigt« erfolgt in zahlreichen, jeweils auf den gleichen, oft wiederholten und durch Pausen voneinander abgesetzten Vierteln in besonders charakteristischer Anwendung der Anaphora in Verbindung mit der Tmesis, der Unterbrechung, wörtlich der Abschneidung. Johann Gottfried Walther hat die Redefigur der Anaphora in seinem ›Musikalischen Lexikon‹ von 1732 wie folgt erläutert: »Anaphora, ... heisset so viel als Repetitio, und entstehet (1. wenn ein periodus, oder auch nur ein eintzeles Wort, absonderlichen Nachdrucks halber, in einer Composition öffters wiederholet wird ...« (Seite 34). Nur je einmal erklingt in den Abschnitten A und C das Wort »schweigt« auf zwei zusammengebundenen, einen Halbton abwärts führenden Achteln, die zusammentreffen mit der erwähnten fünftönigen Leitfigur und zwar dort, wo diese isoliert in der Violine erscheint (Takt 52f. und 160f.). Mit aller Vorsicht sei hier die Deutung ausgesprochen, daß damit dem Leitbild der hoffenden menschlichen Sehnsucht die göttliche Herabneigung sinnbildhaft gegenübergestellt werden soll; denn auf die abweichende musikalische Darstellung des Wortes »schweigt« folgt danach auch eine andere Wendung bei den Worten »Er ist schon würklich hier«. Führten im Abschnitt A diese Worte von *D*-dur ausgehend abschließend nach *fis*-moll, so im Abschnitt C von *G*-dur nach *h*-moll. Hier ergibt sich also im Verlauf der Stimmführung des Alts eine auffallende, schein-

bar ins Gegenteil sich wendende Entwicklung (siehe obenstehendes Notenbeispiel). Die Symbolik dieses Verlaufs vom Alt kann man gewiß nur wie folgt verstehen: Dur ist nach vielfältig bezeugtem Verständnis in der barocken Musiktheorie das Sinnbild der Göttlichkeit Jesu Christi, Moll dagegen, zumal in der Abwärtsführung, das seiner Menschwerdung und Erniedrigung (man denke an den Satz »Et incarnatus est« in der *h*-moll-Messe). Vor allem die Notenreihe der Takte 168–170 in der Abwärtsführung bis zum *h* (kurz zuvor hatte der Alt noch verschiedentlich *d''* gesungen) ist eindeutig. Sie bestätigt J. G. Walthers Erklärung der »Catabasis, ... descendo, ist ein harmonischer Periodus, wodurch etwas niedriges, gering- und verächtliches vorgestellet wird, z. E. Er ist hinunter gefahren ...« (ebenda Seite 148). Takt 169f. lautet daher nicht zufällig nahezu völlig gleich wie Takt 4f. vom Alt-Einsatz im Chor »Et incarnatus est« der *h*-moll-Messe:

Noch ein letztes ist bei dem Terzett zu beachten: Der Alt singt mit seiner Textzeile stets in die Pausen der beiden anderen Stimmen hinein; nur zum Abschluß der Abschnitte A und C finden sich alle drei Stimmen zusammen (Takt 55 ff. und 164 ff.), doch so, daß Sopran und Tenor mit einer Achtelnote in der bildhaften Befolgung der Mahnung »schweigt« ihr sehnsuchtsvolles Fragen abrupt (nämlich mit der Figur der Abruptio) beenden, während der Alt noch einmal die Worte »Er ist schon würklich hier« folgen läßt; er hat das letzte, entscheidende Wort. Die Verkündigung der Offenbarung Gottes in Jesus von Nazareth bekommt auf diese Weise vollen Nachdruck. Es wird nicht gesagt, was mit dem Wörtchen »hier« gemeint ist, ob die Stadt Bethlehem oder der Ort des Glaubens, wo und wann immer in der Menschheitsgeschichte an die weihnachtliche Verkündigung geglaubt wird. Sicherlich ist beides gemeint.

Alle Beobachtungen an dem Terzett »Ach, wenn wird die Zeit erscheinen« zeigen, daß dieser Satz zu den inhaltsschwersten des Weihnachts-Oratoriums gehört. Davon ist bei den Aufführungen freilich selten etwas zu spüren. Oft gewinnt man bei dem Terzett den Eindruck eines (vielleicht gar nicht gewollten) Wettstreits der drei beteiligten Stimmen. Es muß daher vor allem dringend angeraten werden, den Alt gesondert zu stellen, damit sein Gegenüber zum Sopran und Tenor allein schon visuell deutlich wird; das mag dann ein Anstoß sein zum Nachdenken über seine »Rolle«. Darüber hinaus aber kommt es gewiß auch darauf an, das Sehnsuchtsvolle in den Stimmen von Sopran und Tenor in einem angemessenen, gewiß nicht übertriebenen Expressivo gegenüber der Festigkeit der Glaubensaussage vom Alt darzustellen.

Auf das Terzett folgt als Übergang zum abschließenden Choral von Teil V ein begleitetes Alt-Rezitativ mit den beiden Oboen d'amore (Satz 52), in dem die Stimme des Glaubens vollends deutlich die überzeitliche Wirklichkeit Jesu Christi bekennt, die sich in der Welt allein als Herrschaft über das menschliche Herz, das mit Gottes Thron verglichen wird, erweist. Das Bild von Christus als Bräutigam, das uns bereits im Teil I und danach noch verschiedentlich (s. Seite 102) begegnet war, wird auch hier andeutungsweise (vgl. Satz 19) wieder aufgegriffen. Der Schlußchoral »Zwar ist solche Herzensstube wohl kein schöner Fürstensaal« (Satz 53) führt den Gedanken vom menschlichen Herz als Thron Gottes weiter und bedenkt die darin liegende Paradoxie, die allein durch das Licht der göttlichen Gnade aufgehoben wird. Die treffende Wahl dieser Strophe ist besonders bemerkenswert, da das Weihnachtslied »Ihr Gestirn, ihr hohlen Lüfte« von Johann Franck, dem sie entnommen ist, in keinem der s. Z. in Leipzig gebrauchten Gesangbücher steht und daher für eine besonders gründliche Überlegung spricht. Aus welcher Quelle die Strophe stammt, wissen wir leider nicht. Die dabei verwendete Melodie des Liedes »Gott des Himmels und der Erden« von Heinrich Albert, einem Vetter von Heinrich Schütz, war freilich in Leipzig bekannt. Daß sie im Weihnachts-Oratorium im $\frac{4}{4}$-Takt steht, entgegen dem Dreierrhythmus der Originalfassung (die Veränderung geht jedoch nicht auf Bach zurück), läßt auch hier wie bei »Brich an, o schönes Morgenlicht« (Teil I, Satz 12) auf ein ruhiges Zeitmaß schließen. Es ist dies ohnehin nicht anders vorstellbar, falls der Choral nicht bloß ein flüchtiger Abschluß von Teil V sein soll; ist dieser doch der einzige, wie auf Seite 109 erwähnt, der mit einem schlichten Choralsatz beendet wird.

Teil VI

Dem letzten Teil des Oratoriums liegen die Verse 7–12 aus Matthäus 2 zu Grunde. Sie enthalten die zweite Hälfte der Geschichte von den drei Weisen aus dem Morgenlande und sind im Aufbau dieses Teils wieder in die Verse 7–8 und 9–12 gegliedert. Teil VI bildet einen glanzvollen Abschluß des Gesamtwerkes, dessen Rahmen wie in Teil I und III in *D*-dur steht und neben den Holzblas- und Streichinstrumenten mit Trompeten und Pauken besetzt ist (nur die Flöten fehlen hier im Unterschied zu Teil I und III). Die reiche Instrumentierung trägt nicht nur dem Epiphaniasfest, für das dieser Teil bestimmt war, Rechnung, sondern sie rundet zugleich das Weihnachts-Oratorium symmetrisch ab (vgl. die Skizze auf Seite 39). Auch in sich ist Teil VI wieder axialsymmetrisch angelegt und zwar ähnlich, wenn auch nicht völlig gleich, wie Teil I. Übereinstimmend ist vor allem, wie die Skizze auf Seite 129 zeigt, die Stellung des Chorals in der Mitte (vgl. die Skizze auf S. 41). Schon früher wurde mitgeteilt, daß in diesem Teil eine verlorene, mit aller Wahrscheinlichkeit geistliche Kantate wiederverwendet worden ist, von der wir lediglich durch ein paar wenige, erhalten gebliebene Instrumentalstimmen Kenntnis haben (siehe Seite 12). Danach sind hier sogar die begleiteten Rezitative Parodien, so daß allein die Evangelisten-Rezitative und der Choral »Ich steh an deiner Krippen hier« Originalkompositionen sind. Der Grund für die besonders weitgehende Parodiearbeit im letzten Teil des Oratoriums liegt offenbar darin, daß Bach mit dessen Fertigstellung in zeitliche Bedrängnis geraten war; dafür gibt es, wie sich bei der Einzelbehandlung ergeben wird, noch einen entscheidenden weiteren Anhaltspunkt.

Der Text des Eingangschores »Herr, wenn die stolzen Feinde schnauben« (Satz 54) nimmt in unausgesprochener Erinnerung an den König Herodes verallgemeinernd Bezug auf die Feinde Christi und verbindet damit die Bitte um die Gabe des Gottvertrauens, das allein den Glauben bewahrt. Alfred Dürr hat den Chor in folgendem Formschema dargestellt (Seite 37 in seiner Schrift):

Takt	Instrumente	Chor	Taktanzahl
1–48	Ritornell a b c		
49–68	(begleitend)	1. Fuge a (»Herr, wenn ...«)	
69–88	(begleitend)	2. Fuge a (»so gib, ...«)	
89–104	(begleitend)	Imitationssatz (»nach deiner ...«)	120
105–120	Ritornell b	Choreinbau (»so gib, ...«)	
121–144	(begleitend)	frei-quintkanon. Satz (»Wir wollen ...«)	
145–160	Ritornell c' b'	Choreinbau (ab T. 149: »so können wir ...«)	
161–184	(begleitend)	3. Fuge a (»Herr, wenn ... so gib, ...«)	120
185–204	(begleitend)	Imitationssatz (»nach deiner ...«)	
205–240	Ritornell b' c	Choreinbau (»so gib, ...«)	

Die erstaunliche Ordnung dieser formalen Anlage läßt die Frage berechtigt erscheinen, ob die darin verankerten Zahlen 4, 12 und 24 bzw. 120 und 240 »nur« einen bloßen Kosmos widerspiegeln – dies allein wäre schon hinreichend bewundernswert –, oder ob sie eine spezielle Symbolbedeutung haben. Die betreffenden Zahlen könnten auf die vier Himmelsrichtungen und somit auf das Weltall, ferner auf die Tagesstunden, das »Ziel der Zeit«, und damit darauf, daß »die Zeit erfüllet ward« (Galater 4, 4) hinweisen. Für solche Sinnbildlichkeit gäbe es genug Parallelbeispiele in Bachs Werk. Mit nachdrücklichem Vorbehalt sei jedoch auch auf den kurzen Psalm 120 aufmerksam gemacht, dessen Inhalt sich mit dem Text zum Eingangschor von Teil VI z. T. eng berührt, wenn es dort in Vers 3 z. B. heißt: »Was kann dir die falsche Zunge tun, und was kann sie ausrichten?« Jedoch bewegt sich die Bachforschung bei solcher, auf entsprechende Psalmen sich beziehender Zahlensymbolik bisher noch auf schwankendem Boden, so daß keine sicheren Aussagen möglich sind. Aber auch ohne einen speziellen sinnbildhaften Bezug ist dieser Chor eine großartige, Festigkeit und Glaubenszuversicht ausstrahlende Komposition. Ihr Zeitmaß ist das gleiche wie bei den Eingangschören von Teil I, III und IV (jeweils $\frac{3}{8}$-Takt); ein zusätzliches »Vivace« wie bei dem in $\frac{3}{4}$-Takt stehenden Eingangschor von Teil V ist bei keinem dieser Chöre angegeben. Damit ist ein lebhaftes Zeitmaß gemeint, das jedoch im Hinblick auf die Stimmführung der Trompete I nicht zu virtuoser Übersteigerung verleiten sollte.

Das erste Evangelisten-Rezitativ (Satz 55) berichtet von der Unterredung der drei Weisen mit dem König Herodes, der als »Soliloquent«, d. h. Einzelsänger (in Baßlage), erscheint. Er verweist sie nach Bethlehem mit dem Ansinnen, ihm auf dem Rückweg den Ort, an dem sie das Jesuskind gefunden haben, mitzuteilen, unter dem heuchlerischen Vorwand, es selbst anbeten zu wollen.

Das anschließende, von Streichern begleitete Rezitativ des Soprans »Du Falscher, suche nur den Herrn zu fällen« (Satz 56) richtet sich an Herodes; es hält ihm seine Verschlagenheit vor, aber auch die Vergeblichkeit seines Vorhabens, »des Höchsten Sohn ... zu stürzen«. Diesen letzten Gedanken nimmt die Sopran-Arie »Nur ein Wink von seinen Händen« (Satz 57) mit Oboe d'amore I, den beiden Violinen und der Viola als obligate Instrumente in einer Weise lehrhaft auf, wie es für einen Arientext ungewöhnlich ist, und gibt ihm eine allgemeine, predigthafte Wendung: Gottes Wort vermag menschlichen Stolz im Nu zu brechen. Musikalisch ist diese Arie durch den großen Umfang der instrumentalen Partien gekennzeichnet. Von den insgesamt 96 Takten werden 56 durch das Vor-, Zwischen- und Nachspiel beansprucht, also mehr als die Hälfte (ein kurzes weiteres Zwischenspiel von Takt 52 bis 56 ist dabei nicht einmal berücksichtigt). Auf das Vorspiel von 12 Takten folgt nach dem Textteil A (Zeile 1–3) ein Zwischenspiel von 16 Takten; nach dem Textteil B (Zeile 4–7) werden die 28 Takte vom Vor- und Zwischenspiel als Nachspiel noch einmal wiederholt. Sicherlich erklärt sich die Besetzung wie auch die Wahl des Soprans als Solostimme, deren Einsatz hier nicht recht motiviert erscheint (man kann sich eine Baß-Arie in diesem textlichen Zusammenhang viel besser vorstellen), aus der parodierten Vorlage und von daher wahrscheinlich auch Bachs Angabe »Largo e staccato«; denn es ist nicht leicht, den Gesamtcharakter des Stückes mit der textlichen Aussage in Übereinstimmung zu bringen. Vielleicht soll in der pointierten Rhythmik der instrumentalen und vokalen Spitzenfiguren der Abschnitte A und B wie auch

Teil VI

54. Chor: Herr, wenn die stolzen Feinde schnauben
Tutti mit Trompeten; D-dur, $\frac{3}{8}$-Takt

55. Evangelist: Da berief Herodes die Weisen heimlich

56. Begleitetes Rezitativ: Du Falscher, suche nur den Herrn zu fällen
Sopran, Streichinstrumente, Bc.; h-moll → A-dur, $\frac{4}{4}$-Takt

57. Arie: Nur ein Wink von seinen Händen
Sopran, Oboe d'amore I, Streichinstrumente, Bc.; A-dur, $\frac{3}{4}$-Takt

58. Evangelist: Als sie nun den König gehöret hatten

64. Choral: Nun seid ihr wohl gerochen
Tutti mit Trompeten; D-dur, $\frac{4}{4}$-Takt

63. Rezitativ à 4: Was will der Höllen Schrecken nun
Sopran, Alt, Tenor, Baß, Bc.; A-dur → D-dur

62. Arie: Nun mögt ihr stolzen Feinde schrecken
Tenor, Oboe d'amore I und II, Bc.; h-moll, $\frac{2}{4}$-Takt

61. Begleitetes Rezitativ: So geht! Genug, mein Schatz geht nicht von hier
Tenor, Oboe d'amore I und II, Bc.; fis-moll → h-moll, $\frac{4}{4}$-Takt

60. Evangelist: Und Gott befahl ihnen im Traum

59. Choral: Ich steh an deiner Krippen hier
Oboe I und II, Streichinstrumente, Bc.; G-dur, $\frac{4}{4}$-Takt

allgemein in dem straffen Ablauf der Arie göttlicher Triumph zum Ausdruck kommen (siehe nebenstehendes Notenbeispiel). Geht man Einzelheiten nach, entdeckt man freilich zahlreiche, z. T. geradezu dramatische Textbezüge, so im Takt 44 beim Sprung des Soprans von h' nach g'' zur Unterstreichung von »Wort« und in Takt 46 die Figur der Exclamatio bei dem Ausruf »o«. Ganz besonders auffallend ist die mehrfache Anwendung der Aposiopesis in Gestalt von in Pausen eingeschlossenen Einzelnoten oder kleinen Notengruppen, so beim Wort »stürzt« im Takt 18:

Charakteristisch ist auch die Verbindung der Aposiopesis mit der Figur der Gradatio, d. h. mit einer aufsteigenden Wiederholung, so in Takt 47ff. beim Wort »sofort«:

Das zentrale Stück von Teil VI ist das Evangelisten-Rezitativ mit Matthäus 2, 9–12 (Satz 58 und 60), in das nach den Worten »und schenkten ihm Gold, Weihrauch und Myrrhen« (Vers 11) der Choral »Ich steh an deiner Krippen hier«, die erste Strophe von Paul Gerhardts gleichnamigem Lied, eingeschoben ist (Satz 59). Dieser Choral entspricht seiner Stellung und Bedeutung nach genau den ebenfalls von Gerhardt stammenden Strophen »Wie soll ich dich empfangen« in der Mitte von Teil I und »Ich will dich mit Fleiß bewahren« im Teil III (der dort jedoch mehr Abschlußcharakter hat). Auch hier soll wiederum die zeitliche Distanz zur biblischen Geschichte aufgehoben und das berichtete Geschehnis sinnbildhaft in die Gegenwart des eigenen Lebens versetzt werden. Jede dieser Strophen beginnt mit dem Wörtchen »Ich«; auf ihm liegt der Ton. Wenn daher im Anschluß an das Evangelium von den drei Weisen gesagt wird »Ich steh an deiner Krippen hier«, dann soll dieses besagen: Jeder Christ muß diese Geschichte so hören und verstehen, als ob er selbst vor dem Christuskinde stünde, um sich wie die drei Weisen mit seinem ganzen Dasein zu ihm zu bekennen.

Largo e staccato
Oboe d'amore I
Violino I
Violino II
Viola
Continuo
simile

Vielleicht verwundert es, daß Bach nicht bereits für das Weihnachts-Oratorium seine eigene bekannte Weise zu »Ich steh an deiner Krippen hier«, die er spätestens nach einem guten Jahr zu Georg Christian Schemellis ›Musicalischem Gesang-Buch‹ (die Vorrede ist vom 24. April 1736 datiert) beisteuerte, geschaffen hat. Die Melodie, die er im Weihnachts-Oratorium verwendete, war die damals allgemein bei Paul Gerhardts Weihnachtslied gebräuchliche; es ist die Weise, die seit der Reformation vornehmlich bei Luthers Lied »Nun freut euch, lieben Christen gmein« gesungen wurde und mit aller Wahrscheinlichkeit vom Reformator selbst stammt. Schwerlich wäre es Bach in den Sinn gekommen, gerade an einer so zentralen Stelle des Weihnachts-Oratoriums nicht die übliche Gemeindeliedweise zu verwenden. Seine eigene Weise hätte, auch wenn sie 1734 schon vorgelegen haben sollte, zudem sowohl ihrem Charakter als auch der Tonart nach gar nicht in den Zusammenhang von Teil VI gepaßt; sie ist eine typische affektbetonte »Aria«, die für den Sologesang und die häusliche Andacht bestimmt war (im Titel von Schemellis Gesangbuch ist ausdrücklich von »Liedern und Arien« die Rede). Die im Weihnachts-Oratorium demgegenüber verwendete ist in ihrer schlichten volksliedhaften Art besonders geeignet, jene zurückhaltende Demut darzustellen, von der dieser Choral bestimmt ist. Noch einmal tritt hier auch die Tonart *G*-dur, das Sinnbild der Erniedrigung, das uns vor allem im Teil II begegnet ist, in einem Zusammenhang in Erscheinung, dessen Grundtonart das strahlende *D*-dur ist.

Nach dem kurzen verbliebenen Rest des unterbrochenen Evangelisten-Rezitativs mit dem Bericht von der Heimkehr der drei Weisen »durch einen andern Weg« – der Continuo deutet in Takt 4 und 5 die Bewegung an (Satz 60) – folgen die eng aufeinander bezogenen drei letzten Stücke vor dem Schlußchoral. Das mit den Worten »So geht! Genug, mein Schatz geht nicht von hier« beginnende und von den beiden Oboen d'amore begleitete Rezitativ (Satz 61) und auch die anschließende Arie »Nun mögt ihr stolzen Feinde schrecken,/Was könnt ihr mir für Furcht erwecken?/Mein Schatz, mein Hort, ist hier bei mir« mit den gleichen obligaten Instrumenten (Satz 62) hätten nach allen bisherigen Beobachtungen nur dem Alt zugeteilt werden können, während in Wirklichkeit hier der Tenor eingesetzt ist. Stellt man somit fest, daß an dieser Stelle – unter Einbeziehung des vorangegangenen Evangelisten-Rezitativs – drei Tenor-Partien unmittelbar aufeinander folgen, so ist dies für Bachs Kompositionsverfahren völlig ungewöhnlich und auch im Rahmen des Weihnachts-Oratoriums einmalig. Dafür gibt es nur die eine Erklärung, daß es sich bei den Vorlagen um Kompositionen für den Tenor gehandelt hat. Wenn Bach in diesem Falle nun aber keine Transpositionen vornahm und auch keine Umbesetzungen für den Alt, wie z. B. bei der Arie »Schlafe, mein Liebster« im Teil II, dann muß man annehmen, daß er dies lediglich aus Zeitmangel unterlassen hat; denn nach der bisher im Weihnachts-Oratorium eingehaltenen Regel hätten die Sätze 61 und 62 für den Alt bestimmt sein müssen. So ist das Werk offenbar unter zeitlicher Bedrängnis zum Abschluß gebracht worden.

Der Text des begleiteten Rezitativs »So geht! Genug, mein Schatz geht nicht von hier« (Satz 61) greift die Bildhaftigkeit der ersten Teile des Oratoriums wieder auf: Die drei Weisen gehen ihres Weges, aber das Christuskind bleibt bei seiner Mutter, und die Mutter Maria behält es, wie die Mutter Kirche ihren Herrn behält und der Bräutigam seine Braut. Auch in der Begleitung der beiden Oboen d'amore, den Zeichen der Liebe, knüpft dieser Satz an das allererste Accompagnato-Rezitativ »Nun wird mein liebster Bräutigam« wieder an; was dort frohe Erwartung war, ist nun Erfüllung geworden. Das stille »adagio« dieses Satzes (siehe Takt 5 und 9) wird freilich verschiedentlich durch lebhafte Sechzehntel zwischen einzelnen Textzeilen aufgelockert, besonders motiviert nach den Worten »Was könnte mich nun für ein Feind« und »bei solchem Glück versehren« (Takt 15 f.). Der Abschluß ist von besonderer Innigkeit und Zartheit und zwar von der Stelle an, bei der der Text in Gebetsform übergeht, der Continuo in Achtelgängen weiterspielt und auch die Oboen d'amore nicht nur durch Aushaltetöne beteiligt sind (Takt 18, zweite Hälfte, vom Beginn des »adagio« an; siehe Notenbeispiel auf Seite 134). Der Text der Arie »Nun mögt ihr stolzen Feinde schrecken« (Satz 62) knüpft unmittelbar an das begleitete Rezitativ an, indem er den Gedanken der Bedrohung, wie sie von Herodes ausgegangen war, noch einmal allgemein aufgreift, um ihn am Ende beider Strophenhälften (die Strophe ist sechszeilig) mit den zentralen Bekenntnissen zu vertreiben »Mein Schatz, mein Hort ist hier bei mir« und »Doch seht! mein Heiland wohnet hier«. In dieser Strophe reimen sich die Zeilen 1 und 2 sowie 4 und 5, sodann die beiden zitierten Zeilen 3 und 6, wodurch die beiden Hälften miteinander verklammert werden. Der Satz ist zwar als Da capo-Arie gestaltet (Abschnitt A

umfaßt die Textzeilen 1–3, Abschnitt B die Zeilen 4–6), jedoch weicht der Wiederholungsteil von A nicht unwesentlich ab, weil in ihm den Worten »Mein Schatz, mein Hort ist hier bei mir« zum Abschluß – statt sieben Takte wie in Takt 41 (Ende)-47 – nunmehr sechzehn Takte zukommen (Takt 145–160). Während die Arie als Ganzes frohes Siegesbewußtsein ausstrahlt – sie ist mit »Vivace« gekennzeichnet und steht im $\frac{3}{4}$-Takt –, werden die bekenntnishaften Zeilen 3 und 6 jeweils noch besonders hervorgehoben (jeder Abschnitt ist in sich noch einmal zweigeteilt), am nachdrücklichsten am Ende vom Wiederholungsteil A':

Im Takt 97f. erfolgt beim Worte »wohnet« eine Exclamatio, ein emphatischer Ausruf, in Gestalt eines Oktavsprunges von *a* nach *a'*, woran sich wenig später eine Katabasis (siehe vorher Seite 123), ein Abstieg, über eine Undezime von *g'* bis *d* anschließt: Gott hat sich in menschliches Dasein herabgeneigt. Im wiedergegebenen Beispiel folgen sogar vier solche emphatischen, bekenntnishaften Ausrufe unmittelbar aufeinander, und im Takt 157f. werden noch einmal die Rufe »mein Schatz« und »mein Hort« hervorgehoben und zudem durch eine Achtelpause und einen verminderten Septimensprung voneinander abgesetzt. Nach einer Fermate folgen danach noch einmal im Adagio ohne die begleitenden Instrumente die Worte »ist hier bei mir« (Takt 102–104). So verbindet sich sieghafte Gewißheit gegenüber den Feinden des Glaubens mit inniger Jesusliebe, die bei der Wiedergabe ein kontrastierendes Ausdrucksvermögen erfordert.

Der Satz 63, das »Recitativo à 4«, das anstelle eines Accompagnato-Rezitativs steht, erinnert an vorletzter Stelle von Teil VI und somit zugleich gegen Ende des Gesamtwerkes an ein Opernfinale. Alle vier Solo-Stimmen finden sich noch einmal vor dem Schlußsatz – nunmehr unter einem kosmisch-apokalyptischen Aspekt gleichsam die Menschheit vertretend – mit der theoretischen Frage »Was will der Höllen Schrecken nun,/ Was will uns Welt und Sünde tun,/Da wir in Jesu Händen ruhn?«, nacheinander imitierend einsetzend, zusammen. Dabei wird auch noch einmal der gesamte Tonartenbereich des Oratoriums mit Ausnahme von Teil IV auf knappstem Raum durchlaufen. Alfred Dürr stellt hierzu fest: »Unnachahmlich ist in ihm der Finalcharakter durch ständige subdominantische Wendungen (Tiefalterierung der Septime) ausgeprägt, so daß der folgende Modulationsverlauf entsteht:

A – Fis – h – E – A – D – G – D «.

Haben in diesem Satz die einzelnen Stimmgattungen nun keine spezielle Symbolbedeutung mehr? Wer diese Frage hier noch ein letztes Mal stellt, nachdem Teil VI in dieser Hinsicht bisher der Regel des Oratoriums nicht entsprochen hat, wird beim näheren Zusehen um so erstaunter sein, daß allein der Alt die im Text enthaltene Frage nicht stellt, sondern ausschließlich die zweite Satzhälfte singt: »da wir in Jesu Händen ruhn«. In diesen Worten ist die Bedeutung der Weihnachtsbotschaft, wie sie Bachs Oratorium versteht, zusammengefaßt; in Takt 7 und 8 vereinigen sich schließlich alle vier Stimmen bei diesen Worten in einem quasi-homophonen Satz, dessen Bewegung in Takt 7 auch der Continuo mitvollzieht. – Dieses »Recitativo à 4« wird oft chorisch ausgeführt, wodurch seine besondere Stellung vor dem Schlußsatz des Werkes hervorgehoben werden soll, und sicherlich ist dies immer noch besser, als wenn sich die mitwirkenden Solisten nicht zu einem völlig homogenen Klang zusammenfinden; das aber ist erfahrungsgemäß nur selten der Fall. Und doch verlangt dieser Satz, bei dem noch einmal die Symbolgestalten des Weihnachts-Oratoriums gemeinsam in Erscheinung treten – am deutlichsten die Mutter Maria –, eine solistische Wiedergabe. Dabei werden die Ausführenden freilich vor eine besonders schwierige Aufgabe gestellt.

Der festliche Schlußchor von Teil VI »Nun seid ihr wohl gerochen« (Satz 64) mit Tutti-Besetzung, wozu die Trompeten und Pauken gehören, ist als »Choral« bezeichnet. Mit je einem instrumentalen Vor- und Nachspiel, beide Male im Umfang von zwölf Takten, und mit Zeilenzwischenspielen von zwei bis vier Takten übertrifft er die Länge sämtlicher übrigen Schlußchoräle des Oratoriums und erweist sich auch darin als geplanter festlicher Ausklang des Gesamtwerkes. Der Text ist die vierte Strophe des Liedes »Ihr Christen auserkoren« von Georg Werner aus dem Jahre 1648, das die Leipziger Gesangbücher nicht enthalten. Aus welcher Quelle die Strophe übernommen wurde, ist auch in diesem Falle nicht bekannt. Da Werners Lied bisher nirgendwo mit der Melodieangabe »Herzlich tut mich verlangen« begegnet ist, müssen wir annehmen, daß diese Zuweisung bereits bei der Parodievorlage von Bach im Hinblick auf die weitere Verwendung bei dieser letzten Choralbearbeitung getroffen worden ist; denn damit hat er offenbar bewußt auf den ersten Choral des Gesamtwerkes »Wie soll ich dich empfangen« zurückgegriffen und einen Bogen über das sechsteilige Oratorium gespannt, um den Zusammenhang von Verheißung und Erfüllung spürbar werden zu lassen. – Sprachlich bereitet Georg Werners Strophe mit der gänzlich veralteten passiven Form »gerochen« (von rächen) Unbehagen, so daß es verständlich und gewiß auch berechtigt ist, Umdichtungen zu versuchen. Sie dürfen freilich nichts von dem Inhalt abstreichen, wenn nicht der Charakter des göttlichen Triumphes und das »Schlußkonzert« vordergründig bleiben sollen; denn die abschließende Strophe bekennt auf ihre Weise mit eschatologischem Ausblick, was für den Glauben die Christgeburt offenbart hat: »Bei Gott hat seine Stelle/Das menschliche Geschlecht«; die Macht von »Tod, Teufel, Sünd und Hölle« ist gebrochen. – Auch bei diesem Satz ist die Frage nach dem rechten Zeitmaß der Wiedergabe ausdrücklich zu stellen; denn häufig wird er in einem forcierten Tempo, oft auch noch accelerando musiziert. Daß er in Anbetracht des sieghaften Grundtons der Dichtung und seiner musikalischen Gestalt mit der dominierenden ersten Trompete eine lebendige Wiedergabe verlangt, steht außer Frage. Trotzdem besagt die Bezeichnung »Choral« und dessen Notierung in Vierteln, daß auch hier das chorale Zeitmaß von ♩ = 60 MM angenommen werden muß. Doch auch derjenige Dirigent, den es drängt, das Tempo demgegenüber wenigstens etwas anzuziehen, achte auf ein strenges Legato der ausdrucksvollen Cantus firmus-Noten, und er vermeide jede flüchtige Wiedergabe der Achtelligaturen. Über diesem Schlußsatz liegt bei aller seiner Lebhaftigkeit eine überlegene feierliche Ruhe. Beides recht miteinander vereint, verleiht dem Weihnachts-Oratorium jenen festlich getrosten Ausklang, der dem Werk allein angemessen ist.

Bach hat in diesem letzten Satz die phrygische Weise von »Herzlich tut mich verlangen« in einen konzertanten, »modernen« Dur-Satz eingebaut. Bereits bei ihrem Schöpfer Hans Leo Haßler waren mit den Kirchentönen neuzeitliche Vorstellungen der Dur-Moll-Tonalität verquickt; wieviel mehr ist dieses jetzt, rund 130 Jahre später der Fall! Endete der Satz von »Wie soll ich dich empfangen« noch »scheinbar« regulär phrygisch auf

E-dur, dann war zwar der Grundton *e* respektiert, doch nicht im kirchentonalen Sinne, das kein *E*-dur kannte. Der Abschluß des Chorals im Teil VI aber erfolgt in der Terzlage von *D*-dur. Dies ergab sich nicht nur aus dem satztechnischen Zusammenhang, sondern entspricht auch allein dem sieghaft frohen Ton, der durch das gesamte Weihnachts-Oratorium klingt und in dem das Werk dann insonderheit abschließt.

Nachwort

Bereits die einleitende kurze Beschäftigung mit der Entstehungsgeschichte des Weihnachts-Oratoriums hat uns gelehrt, daß es sich bei diesem Werk nicht um eine lose aneinandergefügte Kantatenreihe handelt, sondern um eine geschlossene Einheit seiner sechs Teile. Der Gang durch das Oratorium hat dann auf Schritt und Tritt dies in vielen Einzelheiten sowohl bei der Gesamtanlage als auch bei vielen Zusammenhängen der Sätze bestätigt. Die Einheit des Weihnachts-Oratoriums ergibt sich zwar in erster Linie durch die zugrunde liegende biblische Geschichte, die sich wie ein roter Faden durch das Werk zieht. Darüber hinaus aber läuft, wie wir sahen, ein zweiter Faden durch alle sechs Teile, der die immer wieder sich meldende Stimme des Glaubens, der Kirche sowohl wie des einzelnen Christen, erkennen läßt. Ihn bilden die betrachtenden Texte und die Choräle, am sinnfälligsten die Accompagnato-Rezitative und Arien der Alt-Stimme. Hinter ihr erkannten wir die Symbolgestalt der Mutter Maria als Mutter des Glaubens. Daher haben die solistischen Altpartien nach dem biblischen Bericht im Weihnachts-Oratorium das größte Gewicht. Die ständige Äußerung der Glaubenserfahrung im Anschluß an jede einzelne Begebenheit in der Geschichte von Christi Geburt bestimmt Eigenart und Besonderheit des Werkes; darin erfüllt sich seine Aufgabe als oratorische Komposition. Die textlichen Zusammenhänge in Verbindung mit den musikalischen Verknüpfungen, insonderheit bei den madrigalischen Sätzen, zu erfassen, ist eine unerläßliche Voraussetzung für das rechte Verstehen des Oratoriums. Es will dem Hörer – in welchem Jahrhundert er auch immer lebt – die Geschichte von Christi Geburt nicht nur objektiv, gleichsam als gesungene oder musizierte Lesung, wie es in älterer Zeit bei den Historienkompositionen geschehen ist, darbieten, sondern es will zugleich aller Unverbindlichkeit entgegenwirken und ihn selbst, den Hörer, mitten in das biblische Geschehen hineinstellen. Das aber konnte in Bachs Werk nur durch eine zeitnahe Sprache in den betrachtenden Texten deutlich gemacht werden. Wenn der heutige Hörer dies begreift, dann wird er auch verstehen, daß für das rechte Verständnis des Weihnachts-Oratoriums (wie gewiß auch für andere Bachsche Werke, vor allem die Passionen) etwas getan werden muß.

In der abendländischen Kultur leben wir nicht nur mit und in zeitgenössischer Musik; in ihr sind Jahrhunderte musikalischer Entwicklung lebendig. Das aber kann zur Folge haben und hat oft genug zur Folge, daß ein Werk wie das Weihnachts-Oratorium im Wandel der Zeit allein um seiner Schönheit willen aufgenommen wird. Auch das bedeutet etwas, das nicht gering geachtet werden soll, und doch ist damit nur das Vordergründige erfaßt; denn das Weihnachts-Oratorium hat einen überzeitlichen Anspruch, von dem seine Schönheit unabtrennbar ist. Entziehen wir uns ihm, seiner Verkündigung und seiner Schriftauslegung, dann geht uns das Entscheidende verloren. Was wäre gewonnen, wenn dem Hörer des Weihnachts-Oratoriums nicht bewußt gemacht würde: Tua res agitur – es geht hier um deine innere Existenz, wenn er nicht spürte, daß er selbst gemeint ist, wenn am Anfang mit Paul Gerhardt die Frage erklingt »Wie soll ich dich empfangen« und wenn gegen Ende mit seinen Worten gesungen wird »Ich steh an deiner Krippen hier«?

Ausgaben des Weihnachts-Oratoriums

Johann Sebastian Bach, Weihnachts-Oratorium, BWV 248, hrsg. von Walter Blankenburg und Alfred Dürr, in: J. S. Bach, Neue Ausgabe sämtlicher Werke (NBA), Serie II, Band 6, Kassel und Leipzig 1960, dazu Kritischer Bericht, 1962 (enthält auf Seite 147–158 eine vollständige Faksimile-Wiedergabe des originalen Textbuches); Taschenpartitur, Kassel und Leipzig 1960 u. ö., sowie Klavierauszug von A. Dürr, Kassel 1961.

–, Weihnachts-Oratorium, BWV 248, Faksimile-Lichtdruck des Autographs mit einem Nachwort hrsg. von A. Dürr, Kassel 1960 (das auch in englischer Sprache wiedergegebene Nachwort enthält wertvolle Hinweise für das Studium des Autographs).

Sämtliche von Johann Sebastian Bach vertonte Texte, hrsg. von Werner Neumann, Leipzig 1974 (der Band enthält den Text der sechs Teile des Oratoriums verteilt auf die betreffenden Sonn- und Feiertage, außerdem Seite 448–455 eine vollständige Faksimile-Wiedergabe des Textbuches).

Die parodierten Vorlagen befinden sich in NBA, Serie I, Band 36 und 37: Festmusiken für das kurfürstlich-sächsische Haus I (enthält BWV 213 und 214) und II (BWV 215), hrsg. von W. Neumann, Kassel und Leipzig 1963 und 1961, dazu die Kritischen Berichte, 1962 und 1961.

Sonstige Ausgaben

Rogier Michael, Die Geburt unseres Herren Jesu Christi nach den Evangelisten Lukas und Matthäus (1602), hrsg. von Helmuth Osthoff, Kassel 1937, und in: Handbuch der deutschen evangelischen Kirchenmusik Band I, Teil 3 und 4, Die biblischen Historien, hrsg. von Konrad Ameln, Christhard Mahrenholz und Wilhelm Thomas unter Mitarbeit von Carl Gerhardt, Göttingen 1974.

Thomas Selle, Es begab sich aber zu der Zeit (Lukas 2,1–14). Weihnachtsevangelium à 10, in: Th. Selle (1599–1663), Ausgewählte Kirchenmusik, hrsg. von Klaus Vetter, Stuttgart 1965.

Heinrich Schütz, Historia der Geburt Jesu Christi, hrsg. von Friedrich Schöneich, in: H. Schütz, Neue Ausgabe sämtlicher Werke, Band 1, Kassel 1955.

Johann Schelle, Actus musicus auf Weihnachten. Weihnachtsmusik nach Worten von Lucas II, 1–20 und Martin Luther für Sopran- und Tenorsolo, 5–6stimmigen gemischten Chor (Solo und Capella) und Orchester, hrsg. von Bernd Baselt, Kassel 1965. (Partitur und Aufführungsmaterial stehen bisher nur leihweise zur Verfügung.)

Johann Christoph Friedrich Bach, Die Kindheit Jesu, Oratorium für Soli, gemischten Chor und Orchester, neu hrsg. von Hermann Josef

Dahmen, Heidelberg 1976. (Dem Oratorium liegt ein Text von Johann Gottfried Herder zugrunde, mit dem Bachs jüngster Sohn 1771–1776 in Bückeburg in enger Verbindung stand. Man muß von diesem Werk her gesehen mit Sicherheit annehmen, daß J. Chr. Fr. Bach das Weihnachts-Oratorium gekannt hat, entweder durch das Studium der Partitur oder durch eine spätere Aufführung; 1734 war er erst zwei Jahre alt.)

Bach-Dokumente, Band II: Fremdschriftliche und gedruckte Dokumente zur Lebensgeschichte Johann Sebastian Bachs 1685–1750. Kritische Gesamtausgabe, vorgelegt und erläutert von Werner Neumann und Hans-Joachim Schulze, Kassel und Leipzig 1969.

Literatur

Baselt, Bernd, Der Rudolstädter Hofkapellmeister Philipp Heinrich Erlebach (1657–1714). Beiträge zur mitteldeutschen Musikgeschichte des ausgehenden 17. Jahrhunderts, maschinenschriftliche Dissertation Halle (Saale) 1963.

–, Der Actus Musicus auf Weyh-Nachten des Leipziger Thomaskantors Johann Schelle, in: Wissenschaftliche Zeitschrift der Martin-Luther-Universität Halle-Wittenberg, Gesellschafts- und Sprachwissenschaftliche Reihe 14, 1965, Heft 5, S. 331–344 (die grundlegende Arbeit über Schelles Actus Musicus).

–, Actus musicus und Historie um 1700 in Mitteldeutschland, in: Hallesche Beiträge zur Musikwissenschaft, hrsg. von Walther Siegmund-Schultze (= Wissenschaftliche Beiträge der Martin-Luther-Universität Halle-Wittenberg 1968/8 [G 1]), S. 77–103.

–, Actus musicus und Historie um 1700 in Mitteldeutschland, in: Bericht über den Internationalen musikwissenschaftlichen Kongreß Leipzig 1966, hrsg. von Carl Dahlhaus, Reiner Kluge, Ernst Hermann Meyer, Walter Wiora, Kassel und Leipzig 1970, S. 230–237.

–, Actus musicus, in: Die Musik in Geschichte und Gegenwart, Band 15 (= Supplement Band 1), Kassel 1973, Spalte 25–27.

Blankenburg, Walter, Historia (Historie), in: Die Musik in Geschichte und Gegenwart, Band 6, Kassel 1957, Spalte 465–489.

–, Das Parodieverfahren im Weihnachts-Oratorium Johann Sebastian Bachs, in: Musik und Kirche 32, 1962, S. 245–254 (Nachdruck in: Johann Sebastian Bach, hrsg. von W. Blankenburg = Wege der Forschung Band 170, Darmstadt 1970, S. 493–506).

–, Die Bedeutung der solistischen Alt-Partien im Weihnachts-Oratorium, BWV 248, in: Studies in Renaissance and Baroque Music in Honor of Arthur Mendel, hrsg. von Robert L. Marshall, Kassel und Hackensack (New Jersey) 1974, S. 139–148.

–, Die Bachforschung seit etwa 1965, in: Acta Musicologica 50, 1978,

darin Exkurs über das Liedgut Paul Gerhardts im Werke Bachs, S. 126–128, und Das Weihnachts-Oratorium (BWV 248), S. 130–133.
–, Einführung in Bachs h-moll-Messe, Kassel und München ²1982 (enthält auf S. 59ff. einen Exkurs über die Symmetrieform).
Cellier, Alexandre, Les Passions et l'Oratorio de Noël de J. S. Bach, Paris 1929.
Dürr, Alfred, Johann Sebastian Bach, Weihnachts-Oratorium, BWV 248 (= Meisterwerke der Musik, hrsg. von Ernst Ludwig Waeltner, Heft 8), München 1967. (Verweise auf A. Dürr im laufenden Text beziehen sich stets auf diese Schrift.)
–, Weihnachts-Oratorium. Eine Einführung, in: Beiheft zur Schallplattenaufnahme der Wiener Sängerknaben und des Concentus Musicus, Wien, Teldec-Telefunken-Decca, Hamburg 1973, S. 4–6.
–, Die Kantaten von Johann Sebastian Bach, Kassel und München ⁴1981. (Die Behandlung der einzelnen Teile des Weihnachts-Oratoriums ist hier in den Gang des Kirchenjahres eingeordnet.)
Geiringer, Karl, Johann Sebastian Bach. The Culmination of an Era, New York 1966, deutsch München 1971.
Gerstenberg, Walter, Die Zeitmaße und ihre Ordnungen in Bachs Musik (Jahresgabe 1952 der Freunde der Bachwoche Ansbach), in: Johann Sebastian Bach, hrsg. von Walter Blankenburg (= Wege der Forschung Band 170), Darmstadt 1970, S. 129–149.
Häfner, Klaus, Zum Problem der Entstehungsgeschichte von BWV 248a, in: Die Musikforschung 30, 1977, S. 304–308.
Harnoncourt, Philipp, Zur Artikulation und Instrumentation des Weihnachts-Oratoriums, in: Beiheft zur Schallplattenaufnahme der Wiener Sängerknaben und des Concentus Musicus, Wien, Teldec-Telefunken-Decca, Hamburg 1973, S. 6f.
Hindermann, Walter F., »Jauchzet, frohlocket, auf, preiset die Tage«. Wie »weihnachtlich« ist Joh. Seb. Bachs volkstümlichstes Opus?, in: Musik und Kirche 45, 1975, S. 284–292.
Hofmann, Klaus, Zwei Abhandlungen zur Weihnachtshistorie von Heinrich Schütz, in: Musik und Kirche 40, 1970, S. 325–330, und 41, 1971, S. 15–20.
Intervall 3, Werkbesprechungen von J. S. Bachs Weihnachtsoratorium und zu musik der jahrhunderte = Mitteilungen des Heinrich-Schütz-Chores Heilbronn, Dezember 1977.
Kaiser, Joachim, Das Weihnachtsoratorium, in: J. Kaiser, Erlebte Musik, Band 1, Kassel und München 1982, S. 18–25 (Nachdruck aus der Süddeutschen Zeitung vom 24. Dezember 1963).
Kort, Jac, Bach's Weihnachts-Oratorium, Amsterdam 1950/51.
Marti, Andreas, ... die Lehre des Lebens zu hören. Eine Analyse der drei Kantaten zum 17. Sonntag nach Trinitatis von Johann Sebastian Bach unter musikalisch-rhetorischen und theologischen Gesichtspunkten, Bern 1981 (enthält einen Katalog ausgewählter musikalisch-rhetorischer Figuren).

Moser, Hans Joachim, Heinrich Schütz. Sein Leben und Werk, Kassel [2]1954.

Plath, Richard, Zur Textproblematik von Teil 6 des Weihnachtsoratoriums von Johann Sebastian Bach, in: Musik und Kirche 46, 1976, S. 286f. – Dazu Walter F. Hindermann in: Musik und Kirche 47, 1977, S. 232f., Friedrich Hofmann, S. 233, und Alfred Dürr, S. 283f.

Prautzsch, Ludwig, Die Echo-Arie und andere symbolische und volkstümliche Züge in Bachs Weihnachtsoratorium, in: Musik und Kirche 38, 1968, S. 221–229. (Der Verfasser wies als erster auf den Sinn dieser Arie hin.)

Schmitz, Arnold, Die Bildlichkeit der wortgebundenen Musik Johann Sebastian Bachs, Mainz 1949. (Grundlegend für das Verständnis der musikalischen Redefiguren.)

Schweitzer, Albert, J. S. Bach, Leipzig 1908 u. ö.

Smend, Friedrich, Joh. Seb. Bach, Kirchen-Kantaten, Heft 5 (vom 1. Sonntag im Advent bis zum Epiphanias-Fest), Berlin [3]1966. (Ausführungen über das Weihnachts-Oratorium auf S. 32–39.)

Spitta, Philipp, Joh. Seb. Bach, Band 2, Leipzig 1880, Wiesbaden [5]1962.

Steiger, Renate, »Die Welt ist euch ein Himmelreich«. Zu J. S. Bachs Deutung des Pastoralen, in: Musik und Kirche 41, 1971, S. 1–8 und 69–79.

–, Die Einheit des Weihnachtsoratoriums von J. S. Bach, in: Musik und Kirche 51, 1981, S. 273–280, und 52, 1982, S. 9–15. (Eine grundlegende theologische Untersuchung.)

Streck, Harald, Die Verskunst in den poetischen Texten zu den Kantaten J. S. Bachs, Hamburg 1971 (= Hamburger Beiträge zur Musikwissenschaft Band 5).

Tunger, Albrecht, Johann Sebastian Bachs Einlagesätze zum Magnificat. Beobachtungen und Überlegungen zu ihrer Herkunft, in: Bachstunden. Festschrift für Helmut Walcha zum 70. Geburtstag überreicht von seinen Schülern, hrsg. von Walther Dehnhard und Gottlob Ritter, Frankfurt/Main 1978, S. 22–35.

Unger, Hans Heinrich, Die Beziehungen zwischen Musik und Rhetorik im 16.–18. Jahrhundert, Würzburg 1941.

Walther, Johann Gottfried, Musikalisches Lexikon oder musikalische Bibliothek 1732, Faksimile-Nachdruck hrsg. von Richard Schaal, Kassel 1953.

Werker, Wilhelm, Weihnachts-Oratorium (= Bach-Studien III), Königstein 1927 (nebst einem Form-Grundriß zu Werkers Manuskript, hergestellt von Harry Hahn, Hamburg), handschriftlich in der Handschriften-Abteilung der Sächsischen Landesbibliothek Dresden.

Werthemann, Helene, Die Bedeutung der alttestamentlichen Historien in Johann Sebastian Bachs Kantaten, Tübingen 1960.

Zander, Ferdinand, Die Dichter der Kantatentexte Johann Sebastian Bachs, Köln 1967, und in: Bach-Jahrbuch 14, 1968, S. 9–64.

Der Text des Weihnachts-Oratoriums

Teil I am ersten Weihnachtstag

1 Chor
Jauchzet, frohlocket, auf, preiset die Tage,
Rühmet, was heute der Höchste getan!
Lasset das Zagen, verbannet die Klage,
Stimmet voll Jauchzen und Fröhlichkeit an!
Dienet dem Höchsten mit herrlichen Chören,
Laßt uns den Namen des Herrschers verehren.

2 Evangelist
Es begab sich aber zu der Zeit, daß ein Gebot von dem Kaiser Augusto ausging, daß alle Welt geschätzet würde. Und jedermann ging, daß er sich schätzen ließe, ein jeglicher in seine Stadt. Da machte sich auch auf Joseph aus Galiläa, aus der Stadt Nazareth, in das jüdische Land zur Stadt David, die da heißet Bethlehem; darum, daß er von dem Hause und Geschlechte David war: auf daß er sich schätzen ließe mit Maria, seinem vertrauten Weibe, die war schwanger. Und als sie daselbst waren, kam die Zeit, daß sie gebären sollte.

3 Rezitativ (Alt)
Nun wird mein liebster Bräutigam,
Nun wird der Held aus Davids Stamm
Zum Trost, zum Heil der Erden
Einmal geboren werden.
Nun wird der Stern aus Jakob scheinen,
Sein Strahl bricht schon hervor.
Auf, Zion, und verlasse nun das Weinen,
Dein Wohl steigt hoch empor!

4 Arie (Alt)
Bereite dich, Zion, mit zärtlichen Trieben,
Den Schönsten, den Liebsten bald bei dir zu sehn!
Deine Wangen
Müssen heut viel schöner prangen,
Eile, den Bräutigam sehnlichst zu lieben!

5 Choral
Wie soll ich dich empfangen
Und wie begegn' ich dir?
O aller Welt Verlangen,
O meiner Seelen Zier!

O Jesu, Jesu setze
Mir selbst die Fackel bei,
Damit, was dich ergötze,
Mir kund und wissend sei!

6 Evangelist

Und sie gebar ihren ersten Sohn und wickelte ihn in Windeln und legte ihn in eine Krippen, denn sie hatten sonst keinen Raum in der Herberge.

7 Choral (Sopran) und Rezitativ (Bass)

Er ist auf Erden kommen arm,
    Wer will die Liebe recht erhöhn,
    Die unser Heiland vor uns hegt?
Daß er unser sich erbarm,
    Ja, wer vermag es einzusehen,
    Wie ihn der Menschen Leid bewegt?
Und in dem Himmel mache reich
    Des Höchsten Sohn kommt in die Welt,
    Weil ihm ihr Heil so wohl gefällt,
Und seinen lieben Engeln gleich.
    So will er selbst als Mensch geboren werden.
Kyrieleis.

8 Arie (Bass)

Großer Herr, o starker König,
Liebster Heiland, o wie wenig
Achtest du der Erden Pracht!
Der die ganze Welt erhält,
Ihre Pracht und Zier erschaffen,
Muß in harten Krippen schlafen.

9 Choral

Ach mein herzliebes Jesulein,
Mach dir ein rein sanft Bettelein,
Zu ruhn in meines Herzens Schrein,
Daß ich nimmer vergesse dein!

Teil II am zweiten Weihnachtstag

10 Sinfonia

11 Evangelist

Und es waren Hirten in derselben Gegend auf dem Felde bei den Hürden, die hüteten des Nachts ihre Herde. Und siehe, des Herren

Engel trat zu ihnen, und die Klarheit des Herren leuchtet um sie, und sie furchten sich sehr.

12 CHORAL
Brich an, o schönes Morgenlicht,
Und laß den Himmel tagen!
Du Hirtenvolk, erschrecke nicht,
Weil dir die Engel sagen,
Daß dieses schwache Knäbelein
Soll unser Trost und Freude sein,
Dazu den Satan zwingen
Und letztlich Friede bringen!

13 EVANGELIST UND ENGEL
Und der Engel sprach zu ihnen: Fürchtet euch nicht, siehe, ich verkündige euch große Freude, die allem Volke widerfahren wird. Denn euch ist heute der Heiland geboren, welcher ist Christus, der Herr, in der Stadt David.

14 REZITATIV (BASS)
Was Gott dem Abraham verheißen,
Das läßt er nun dem Hirtenchor erfüllt erweisen.
Ein Hirt hat alles das zuvor von Gott erfahren müssen.
Und nun muß auch ein Hirt die Tat,
Was er damals versprochen hat,
Zuerst erfüllet wissen.

15 ARIE (TENOR)
Frohe Hirten, eilt, ach eilet,
Eh ihr euch zu lang verweilet,
Eilt, das holde Kind zu sehn!
Geht, die Freude heißt zu schön,
Sucht die Anmut zu gewinnen,
Geht und labet Herz und Sinnen!

16 EVANGELIST
Und das habt zum Zeichen: Ihr werdet finden das Kind in Windeln gewickelt und in einer Krippe liegen.

17 CHORAL
Schaut hin, dort liegt im finstern Stall,
Des Herrschaft gehet überall!
Da Speise vormals sucht ein Rind,
Da ruhet itzt der Jungfrau'n Kind.

18 Rezitativ (Bass)
So geht denn hin, ihr Hirten geht,
Daß ihr das Wunder seht:
Und findet ihr des Höchsten Sohn
In einer harten Krippe liegen,
So singet ihm bei seiner Wiegen
Aus einem süßen Ton
Und mit gesamtem Chor
Dies Lied zur Ruhe vor!

19 Arie (Alt)
Schlafe, mein Liebster, genieße der Ruh,
Wache nach diesem vor aller Gedeihen!
Labe die Brust, empfinde die Lust,
Wo wir unser Herz erfreuen!

20 Evangelist
Und alsobald war da bei dem Engel die Menge der himmlischen Heerscharen, die lobten Gott und sprachen:

21 Chor der Engel
Ehre sei Gott in der Höhe
Und Friede auf Erden
Und den Menschen ein Wohlgefallen.

22 Rezitativ (Bass)
So recht, ihr Engel, jauchzt und singet,
Daß es uns heut so schön gelinget!
Auf denn! wir stimmen mit euch ein,
Uns kann es so wie euch erfreun.

23 Choral
Wir singen dir in deinem Heer
Aus aller Kraft Lob, Preis und Ehr,
Daß du, o lang gewünschter Gast,
Dich nunmehr eingestellet hast.

Teil III am dritten Weihnachtstag

24 Chor
Herrscher des Himmels, erhöre das Lallen,
Laß dir die matten Gesänge gefallen,
Wenn dich dein Zion mit Psalmen erhöht!
Höre der Herzen frohlockendes Preisen,
Wenn wir dir itzo die Ehrfurcht erweisen,
Weil unsre Wohlfahrt befestiget steht!

25 Evangelist
Und da die Engel von ihnen gen Himmel fuhren, sprachen die Hirten untereinander:

26 Chor der Hirten
Lasset uns nun gehen gen Bethlehem und die Geschichte sehen, die da geschehen ist, die uns der Herr kundgetan hat.

27 Rezitativ (Bass)
Er hat sein Volk getröst',
Er hat sein Israel erlöst,
Die Hülf aus Zion hergesendet
Und unser Leid geendet.
Seht, Hirten, dies hat er getan;
Geht, dieses trefft ihr an!

28 Choral
Dies hat er alles uns getan,
Sein groß Lieb zu zeigen an;
Des freu sich alle Christenheit
Und dank ihm des in Ewigkeit.
Kyrieleis!

29 Duett (Sopran – Bass)
Herr, dein Mitleid, dein Erbarmen
Tröstet uns und macht uns frei.
Deine holde Gunst und Liebe,
Deine wundersamen Triebe
Machen deine Vatertreu
Wieder neu.

30 Evangelist
Und sie kamen eilend und funden beide, Mariam und Joseph, dazu das Kind in der Krippe liegen. Da sie es aber gesehen hatten, breiteten sie das Wort aus, welches zu ihnen von diesem Kind gesaget war. Und alle, vor die es kam, wunderten sich der Rede, die ihnen die Hirten gesaget hatten. Maria aber behielt alle diese Worte und bewegte sie in ihrem Herzen.

31 Arie (Alt)
Schließe, mein Herze, dies selige Wunder
Fest in deinem Glauben ein!
Lasse dies Wunder, die göttlichen Werke
Immer zur Stärke
Deines schwachen Glaubens sein!

32 Rezitativ (Alt)
Ja, ja, mein Herz soll es bewahren,
Was es an dieser holden Zeit
Zu seiner Seligkeit
Für sicheren Beweis erfahren.

33 Choral
Ich will dich mit Fleiß bewahren,
Ich will dir
Leben hier,
Dir will ich abfahren,
Mit dir will ich endlich schweben
Voller Freud
Ohne Zeit
Dort im andern Leben.

34 Evangelist
Und die Hirten kehrten wieder um, preiseten und lobten Gott um alles, das sie gesehen und gehöret hatten, wie denn zu ihnen gesaget war.

35 Choral
Seid froh dieweil,
Daß euer Heil
Ist hie ein Gott und auch ein Mensch geboren,
Der, welcher ist
Der Herr und Christ
In Davids Stadt, von vielen auserkoren.

Chor (Wiederholung von 24)
Herrscher des Himmels, erhöre das Lallen,
Laß dir die matten Gesänge gefallen,
Wenn dich dein Zion mit Psalmen erhöht!
Höre der Herzen frohlockendes Preisen,
Wenn wir dir itzo die Ehrfurcht erweisen,
Weil unsre Wohlfahrt befestiget steht!

Teil IV am Neujahrstag

36 Chor
Fallt mit Danken, fallt mit Loben
Vor des Höchsten Gnadenthron!
Gottes Sohn
Will der Erden
Heiland und Erlöser werden,
Gottes Sohn
Dämpft der Feinde Wut und Toben.

37 EVANGELIST

Und da acht Tage um waren, daß das Kind beschnitten würde, da ward sein Name genennet Jesus, welcher genennet war von dem Engel, ehe denn er im Mutterleibe empfangen ward.

38A REZITATIV (BASS)

Immanuel, o süßes Wort!
Mein Jesus heißt mein Hort,
Mein Jesus heißt mein Leben.
Mein Jesus hat sich mir ergeben,
Mein Jesus soll mir immerfort
Vor meinen Augen schweben.
Mein Jesus heißet meine Lust,
Mein Jesus labet Herz und Brust.

38B REZITATIV (BASS) UND CHORAL (SOPRAN)

  Jesu, du mein liebstes Leben,
Komm! Ich will dich mit Lust umfassen,
  Meiner Seele Bräutigam,
Mein Herze soll dich nimmer lassen,
  Der du dich vor mich gegeben
Ach! so nimm mich zu dir!
  An des bittern Kreuzes Stamm!
Auch in dem Sterben sollst du mir
Das Allerliebste sein;
In Not, Gefahr und Ungemach
Seh ich dir sehnlichst nach.
Was jagte mir zuletzt der Tod für Grauen ein?
Mein Jesus! Wenn ich sterbe,
So weiß ich, daß ich nicht verderbe.
Dein Name steht in mir geschrieben,
Der hat des Todes Furcht vertrieben.

39 ARIE (SOPRAN) UND ECHO (SOPRAN)

Flößt, mein Heiland, flößt dein Namen
Auch den allerkleinsten Samen
Jenes strengen Schreckens ein?
Nein, du sagst ja selber nein. (Nein!)
Sollt ich nun das Sterben scheuen?
Nein, dein süßes Wort ist da!
Oder sollt ich mich erfreuen?
Ja, du Heiland sprichst selbst ja. (Ja!)

40 REZITATIV (BASS) UND CHORAL (SOPRAN)

Wohlan! Dein Name soll allein
  Jesu, meine Freud und Wonne,
  Meine Hoffnung, Schatz und Teil,

In meinem Herzen sein!
    Mein Erlösung, Schmuck und Heil,
    Hirt und König, Licht und Sonne,
So will ich dich entzücket nennen,
Wenn Brust und Herz zu dir vor Liebe brennen.
Doch, Liebster, sage mir:
    Ach! wie soll ich würdiglich,
    Mein Herr Jesu, preisen dich?
Wie rühm ich dich, wie dank ich dir?

41 Arie (Tenor)
Ich will nur dir zu Ehren leben,
Mein Heiland, gib mir Kraft und Mut,
Daß es mein Herz recht eifrig tut!
Stärke mich,
Deine Gnade würdiglich
Und mit Danken zu erheben!

42 Choral
Jesus richte mein Beginnen,
Jesus bleibe stets bei mir,
Jesus zäume mir die Sinnen,
Jesus sei nur mein Begier,
Jesus sei mir in Gedanken,
Jesu, lasse mich nicht wanken!

Teil V am Sonntag nach Neujahr

43 Chor
Ehre sei dir, Gott, gesungen,
Dir sei Lob und Dank bereit'.
Dich erhebet alle Welt,
Weil dir unser Wohl gefällt,
Weil anheut
Unser aller Wunsch gelungen,
Weil uns dein Segen so herrlich erfreut.

44 Evangelist
Da Jesus geboren war zu Bethlehem im jüdischen Lande, zur Zeit des Königes Herodis, siehe, da kamen die Weisen vom Morgenlande gen Jerusalem und sprachen:

45 Chor der Weisen und Rezitativ (Alt)
Wo ist der neugeborne König der Jüden?
    Sucht ihn in meiner Brust,
    Hier wohnt er, mir und ihm zur Lust!

Wir haben seinen Stern gesehen im Morgenlande und sind kommen, ihn anzubeten.

Wohl euch, die ihr dies Licht gesehen,
Es ist zu eurem Heil geschehen!
Mein Heiland, du, du bist das Licht,
Das auch den Heiden scheinen sollen,
Und sie, sie kennen dich noch nicht,
Als sie dich schon verehren wollen.
Wie hell, wie klar muß nicht dein Schein,
Geliebter Jesu, sein!

46 Choral

Dein Glanz all Finsternis verzehrt,
Die trübe Nacht in Licht verkehrt.
Leit uns auf deinen Wegen,
Daß dein Gesicht
Und herrlichs Licht
Wir ewig schauen mögen!

47 Arie (Bass)

Erleucht auch meine finstre Sinnen,
Erleuchte mein Herze
Durch der Strahlen klaren Schein!
Dein Wort soll mir die hellste Kerze
In allen meinen Werken sein;
Dies lässet die Seele nichts Böses beginnen.

48 Evangelist

Da das der König Herodes hörte, erschrak er und mit ihm das ganze Jerusalem.

49 Rezitativ (Alt)

Warum wollt ihr erschrecken?
Kann meines Jesu Gegenwart euch solche Furcht erwecken?
O! solltet ihr euch nicht
Vielmehr darüber freuen,
Weil er dadurch verspricht,
Der Menschen Wohlfahrt zu verneuen.

50 Evangelist

Und ließ versammlen alle Hohepriester und Schriftgelehrten unter dem Volk und erforschete von ihnen, wo Christus sollte geboren werden. Und sie sagten ihm: Zu Bethlehem im jüdischen Lande; denn also stehet geschrieben durch den Propheten: Und du Bethlehem im jüdischen Lande, bist mitnichten die kleinest unter den Fürsten Juda; denn aus dir soll mir kommen der Herzog, der über mein Volk Israel ein Herr sei.

51 Arie (Sopran, Alt, Tenor)

Ach, wenn wird die Zeit erscheinen? }
Ach, wenn kömmt der Trost der Seinen? } (Sopran und Tenor)
Schweigt, er ist schon würklich hier! (Alt)
Jesu, ach so komm zu mir! (Sopran und Tenor)

52 Rezitativ (Alt)

Mein Liebster herrschet schon.
Ein Herz, das seine Herrschaft liebet
Und sich ihm ganz zu eigen gibet,
Ist meines Jesu Thron.

53 Choral

Zwar ist solche Herzensstube
Wohl kein schöner Fürstensaal,
Sondern eine finstre Grube;
Doch sobald dein Gnadenstrahl
In denselben nur wird blinken,
Wird es voller Sonnen dünken.

Teil VI am Epiphaniasfest

54 Chor

Herr, wenn die stolzen Feinde schnauben,
So gib, daß wir im festen Glauben
Nach deiner Macht und Hülfe sehn!
Wir wollen dir allein vertrauen,
So können wir den scharfen Klauen
Des Feindes unversehrt entgehn.

55 Evangelist und Herodes

Da berief Herodes die Weisen heimlich und erlernet mit Fleiß von ihnen, wenn der Stern erschienen wäre? Und weiset sie gen Bethlehem und sprach:
Ziehet hin und forschet fleißig nach dem Kindlein, und wenn ihrs findet, sagt mirs wieder, daß ich auch komme und es anbete.

56 Rezitativ (Sopran)

Du Falscher, suche nur den Herrn zu fällen,
Nimm alle falsche List,
Dem Heiland nachzustellen;
Der, dessen Kraft kein Mensch ermißt,
Bleibt doch in sichrer Hand.
Dein Herz, dein falsches Herz ist schon,
Nebst aller seiner List, des Höchsten Sohn,
Den du zu stürzen suchst, sehr wohl bekannt.

57 Arie (Sopran)
Nur ein Wink von seinen Händen
Stürzt ohnmächtger Menschen Macht.
Hier wird alle Kraft verlacht!
Spricht der Höchste nur ein Wort,
Seiner Feinde Stolz zu enden,
O, so müssen sich sofort
Sterblicher Gedanken wenden.

58 Evangelist
Als sie nun den König gehöret hatten, zogen sie hin. Und siehe, der Stern, den sie im Morgenlande gesehen hatten, ging für ihnen hin, bis daß er kam und stund oben über, da das Kindlein war. Da sie den Stern sahen, wurden sie hoch erfreuet und gingen in das Haus und funden das Kindlein mit Maria, seiner Mutter, und fielen nieder und beteten es an und täten ihre Schätze auf und schenkten ihm Gold, Weihrauch und Myrrhen.

59 Choral
Ich steh an deiner Krippen hier,
O Jesulein, mein Leben;
Ich komme, bring und schenke dir,
Was du mir hast gegeben.
Nimm hin! es ist mein Geist und Sinn,
Herz, Seel und Mut, nimm alles hin,
Und laß dirs wohlgefallen!

60 Evangelist
Und Gott befahl ihnen im Traum, daß sie sich nicht sollten wieder zu Herodes lenken, und zogen durch einen andern Weg wieder in ihr Land.

61 Rezitativ (Tenor)
So geht! Genug, mein Schatz geht nicht von hier,
Er bleibet da bei mir,
Ich will ihn auch nicht von mir lassen.
Sein Arm wird mich aus Lieb
Mit sanftmutsvollem Trieb
Und größter Zärtlichkeit umfassen;
Er soll mein Bräutigam verbleiben,
Ich will ihm Brust und Herz verschreiben.
Ich weiß gewiß, er liebet mich,
Mein Herz liebt ihn auch inniglich
Und wird ihn ewig ehren.
Was könnte mich nun für ein Feind
Bei solchem Glück versehren!

Du, Jesu, bist und bleibst mein Freund;
Und werd ich ängstlich zu dir flehn:
Herr, hilf!, so laß mich Hülfe sehn!

62 Arie (Tenor)
Nun mögt ihr stolzen Feinde schrecken;
Was könnt ihr mir für Furcht erwecken?
Mein Schatz, mein Hort ist hier bei mir.
Ihr mögt euch noch so grimmig stellen,
Droht nur, mich ganz und gar zu fällen,
Doch seht! mein Heiland wohnet hier.

63 Rezitativ (Sopran, Alt, Tenor, Bass)
Was will der Höllen Schrecken nun,
Was will uns Welt und Sünde tun,
Da wir in Jesu Händen ruhn?

64 Choral
Nun seid ihr wohl gerochen
An eurer Feinde Schar,
Denn Christus hat zerbrochen
was euch zuwider war.
Tod, Teufel, Sünd und Hölle
Sind ganz und gar geschwächt;
Bei Gott hat seine Stelle
Das menschliche Geschlecht.

Musik

dtv-Atlas zur Musik
von Ulrich Michels
Tafeln und Texte
2 Bände
Originalausgabe

Bisher erschienen:
Band 1: Systematischer Teil.
Historischer Teil: Von den
Anfängen bis zur Renaissance
dtv/Bärenreiter 3022

Aus dem Inhalt:
Musikwissenschaft, Akustik,
Gehör, Instrumentenkunde,
Musiklehre, (Harmonielehre,
Generalbaß, Zwölftontechnik),
Gattungen und Formen.

In Vorbereitung:
Band 2: Historischer
Teil: Vom Barock bis zur
Gegenwart.

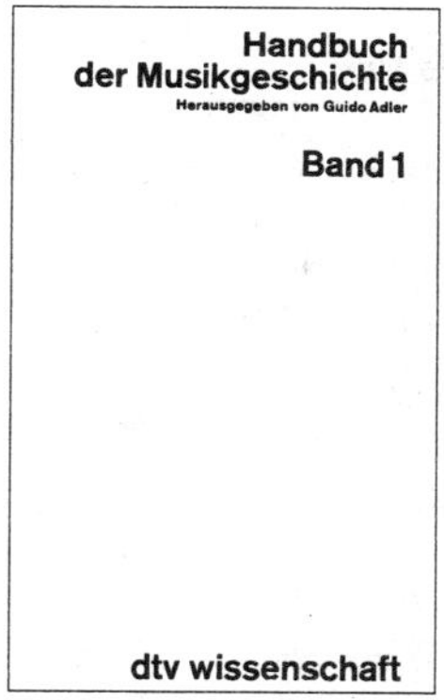

Rudolf Kloiber:
Handbuch der Oper
2 Bände
dtv/Bärenreiter 3109/3110

Epochen der
Musikgeschichte
in Einzeldarstellungen
Die Epochenartikel aus dem
Lexikon ›Musik in Geschichte
und Gegenwart‹ (MGG):
Ars antiqua bis Neue Musik
dtv/Bärenreiter 4146

Handbuch der
Musikgeschichte
Taschenbuchausgabe der
zweiten, verbesserten,
ergänzten und vermehrten
Auflage von 1930 (ohne das
Kapitel ›Die Moderne‹).
Hrsg. Guido Adler. 3 Bände
dtv/Bärenreiter 5952